知識ゼロからの日本の家紋入門

An introduction of family crests and coats of arms in Japan

楠戸義昭

はじめに

家紋は、われわれ日本人の先祖が残してくれた、自分の血のいわれを教えてくれる、素晴らしい文化遺産である。

苗字と家紋はおおむね一体となっており、自分の家系を探る際の、よい手掛かりになる。家紋で大切なことは、父親から受け継いだ男系の家紋だけによってのみ、自分を見ようとしてはいけないことである。

母親にも家紋があり、また祖母にもある。そうした女系の家紋を軽視してはならない。さらに、養子に入った者がいるとすれば、その家紋をも調べていくことで、自分の血の故郷が分かり、自分がただ一人でこの世の中に〝命〟を得て、生きているのではないことがよく分かってくる。

たくさんの先祖の血を、一つの小さな体の中に受け継いで、自分があることを、家紋は静かに物語っているのである。

その家紋を、残念なことに現代人のほとんどが無視し、忘れ去っている。家紋といえば、墓石の紋様であり、葬式の時に用いるものとばかり思っている人も少なくない。だから若者だけでなく、熟年世代でも、自分の家紋を知らない人が実に多い。それは日本人として由々《ゆゆ》しき問題といえる。

家紋は家系につながる重要な紋様であるとともに、そのデフォルメされた簡明なデザインの美しさは、花鳥風月に通じて、茶道や華道と同じく、日本人の精神を今日に伝えるものであり、優れた芸術作品でもある。自分の家紋はだから、先祖が自分にくれた〝お宝〟といえる。

その家紋を大事にして、子供や孫たちに伝え継いでいくことは、私たちの大きな責任であるといえる。

この本では、そうした家紋の成り立ち、また特徴を追求し、家紋が昔の日本人の生活に深く結びつき、いかにさまざまなドラマを展開してきたかを、エピソードを交えて語るものである。

家紋が家系と結びつくとともに、日本人の心を物語る〝すぐれもの〟であることが分かっていただければ幸いである。

なお、本書の執筆に際しては、先学の諸氏のご研究とご著作を、いろいろ参考にさせて頂いた。中でもとりわけ、丹羽基二氏には、多大の学恩を賜っている。ここにそのことを明記して、お礼を申しあげる次第である。

楠戸義昭

平成十八年七月

目次

PART 2 家紋の知っ得アウトライン

PART 3 天皇家のご紋章&源平藤橘《げんぺいとうきつ》の家紋

PART 4 戦国乱世の英雄&豪傑にゆかりの家紋

PART 5 豊作を祈願する家紋

PART 6 神さま仏さまに関わる家紋

PART 7 呪術オカルト系の家紋

PART 8 長寿&健康をめぐる家紋

PART 9 森羅万象にまつわる家紋

家紋のいろいろ／ミニ図鑑

プロローグ

家紋から先祖のことが見えてくる

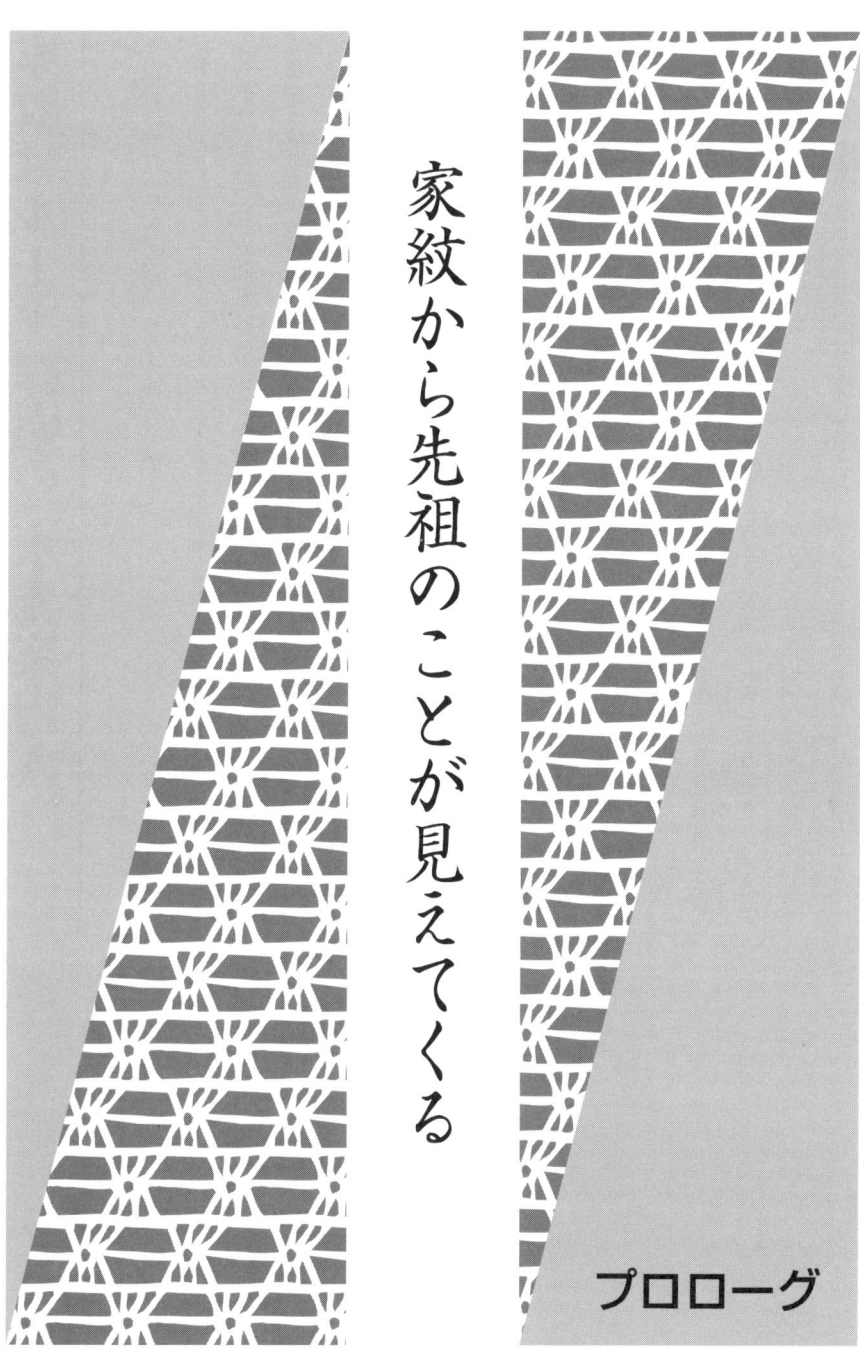

家紋はルーツ探索の〝水先案内人〟

自分はどこから来て、どこへ行くのか。

熟年世代になって、ふっとそんな思いに駆られる人が多い。

若い時には、「人間とは何か」などと、哲学的なことを考えた人が、自分を顧みる余裕もなく、年齢を重ね、結婚する。やがて子供が生まれ、その息子や娘たちも巣立って、再び自分に立ち返った時、自分の体の中を流れる血の履歴が気になり出したりする。そして自ずと「家」というものを考えるようにもなる。

現代社会は核家族化が進んで、血のつながりの重要さを感じることが希薄になった。そのため、ふと自分を見つめ直す時、脈々と受け継がれてきた、自分に流れる〝血の故郷〟を尋ねたくなるのは、人間として、しごく当然といえよう。

その自分探しと切っても切れないのが、わが家の「家系」である。

およそ八百万人いるといわれる団塊の世代。昭和二十二～二十四年（一九四七～四九年）生まれの彼らが、平成十九年（二〇〇七）ごろから、いよいよ定年の時期を迎える。

そんなこともあって、自分探しをしたい人は、いつの時代にも増して多いようだ。

だが、その方法が分からない人がほとんどである。そういう時に、自分のルーツを手っ取り早く調べられる手がかりが、「家紋」[注1]ということになる。皇室以外の人ならば、誰でも苗字を持っている。その苗字と家紋は、密接に絡んでいる場合が多い。だから、家紋は自分探しの〝水先案内人〟となる資格を、十二分に有しているのである。

自分の先祖がどんな人間だったのか。大名とか旗本、あるいは幾代も続いた老舗《しにせ》の家に生まれた人ならば、家に家系図もあって調べる必要はない。けれども、多くの人はせいぜい、祖父と祖母がどこの出身の、どんな人間で、どんな仕事をしていたかが分かるくらいだ。

これが曾祖父、曾祖母の代となると、もうお手上げなのが普通である。ましてや、幕末に先祖がどこにいて、どんなことをしていたか、などということになれば、知る人はほとんどいなくなってしまう。だが、できれば知りたい――それが人情というものである。

（注1）地名・苗字と家紋の研究家、丹羽基二氏の調査によれば、わが国の家紋は約二万あるという。

地名と苗字と家紋の連関

苗字は中世には「名字」と書かれていたが、江戸時代以降に「苗字」という字が使われるようになった。名字から苗字への変化には、実は大きな意味がある。

名字は、武士の所領と密接につながっていた。平安末期に武士が台頭して、鎌倉時代は武家の世の中となる。武士たちは一所懸命《いっしょけんめい》に新田を開発し、これを所領として、館《やかた》や城を築いた。

さらに、一族団結のシンボルとして神社を設け、菩提寺を建て、墓を作り、本貫《ほんがん》の地[注2]とした。そして、その土地名を自分の名字にしたのである。

たとえば、相模《さがみ》の豪族に三浦氏がいる。三浦氏の先祖は桓武《かんむ》天皇の曾孫の高望王《たかもちおう》で、彼は寛平《かんぴょう》元年（八八九）に平姓をもらって臣籍に入り、東国に下《げ》向《こう》し、土着した。その子の五郎良文《よしぶみ》は猛き武士として「東国の兵《つわもの》」といわれた。その息子たちが、三浦を始めとしてそれぞれに中村、秩父《ちちぶ》、千葉、上総《かずさ》、大庭《おおば》、梶原、長尾を名乗った。これらはすべて土地名を名字としたもので、坂東八平氏の祖となった。ここに八つの名字が生まれたことになる。

そして、良文から数えて六代目の孫に当たる棟梁《とうりょう》の義明が、三浦氏と称した。これは、相模国の三浦荘衣笠《きぬがさ》（神奈川県横須賀市）に本拠を構えていた

（注2）奈良時代の律令制によって、公の戸籍に記載された土地のこと。転じて、出身地や本籍地を指す。

からである。この義明は源義朝《よしとも》・頼朝《よりとも》に仕えて勢力を伸ばすと、その弟や子供たちは、それぞれに所領を分地されて、そこに住み着き、その地名[注3]を名字にした。それとともに、名字からそれぞれの家紋が生まれたのである。つまり、初めに地名があり、それが転じて名字となり、そこから家紋が作られたのだ。

時を経て江戸時代になると、所領や土地とは結びつかないが、血筋が同じというシルシで、「名字」ではなく、「苗字」という文字が用いられるようになる。祖先を同じくするという意味だ。

苗字の発生に立ち返ると、地名から付いた名字だけがすべてではない。陸奥《むつ》留守職《るすしょく》に補された鎌倉御家人が「留守」を自分の姓にし、大宰府《だざいふ》の次官である小弐《しょうに》としての地位についた御家人が「小弐」を名乗るなど、官職から出たものもある。

斎藤、佐藤、工藤など、藤のつく字は、藤原氏の一門が就いたその官職によって、それを名字にしたものである。たとえば、神を斎《いつ》き祀《まつ》る斎宮《さいぐう》の長官となった藤原氏の子孫が、斎藤姓を名乗った。佐藤は左衛門尉《さえもんのじょう》だったことで、左に人偏《にんべん》をつけて佐藤と称する。木工助《もくのすけ》になった一族は工藤を名字にする。彼らの代表紋は、名前に共通する藤紋である。だが、当然、差別化をはかる意図も働いて、この場合は逆に多様化する。

また、商人の屋号や商売名から来ている名前もある。淡路島から出て大阪

（注3）地名の数は、一体どれくらいあるのか。丹羽基二氏の知見では、日本全国で、およそ一千万を数えるとか。

で店を開いた場合、出身地にちなみ淡路屋などと屋号を名乗った。このように尾張、相模などの旧国名を暖簾《のれん》に染めて、さまざまな商売をした人たちがいた。そうした人たちの中で、明治三年（一八七〇）に平民の名字公称が許された際、その屋号を苗字とし、「淡路」「加賀」などと称した人もいた。

そしてまた米屋、魚屋、糸屋などを営んでいた人たちの中には、その商売名を苗字にした人たちもいる。その場合、米屋ではあまりにストレート過ぎるので、「屋」と同じ読みの「谷」「矢」などの漢字に置き換え、しかも米谷ならば「こめや」とは読まず、「よねや」と読ませたりもした。

地名から苗字[注4]になったものが多いが、地形にちなんでついた苗字もある。森、野、田、川、山などから、森田、西川、川上、小野、山口といった苗字が生まれた。南、西、辰巳などの苗字は方角から来ている。まだ松井、杉山、桜井、立花、犬飼（犬養）、猪隈《いのくま》、鶴田など、動植物からとったものもある。

（注4）丹羽基二氏のリサーチによると、日本の苗字の総数は、ざっと三十万。この数は、おそらく世界一だろう。

苗字と家紋は表裏一体か

こうした苗字には、明治になってから生まれたものが多い。一方、明治期に家父長制が強化される中、封建時代にも増して、紋付き羽織がさまざまなところで幅をきかせるようになった。そのため、家紋は重要性を増して、どの家もが家紋を持たなければならなくなる。こうして苗字の誕生とともに、家紋のない人も、家紋を有するようになったと思われる。

いつの時代においても、朝廷や幕府などが法令で家紋の使用を禁止したり、家紋に関する規制や約束事を強いたことはない。江戸期に葵紋（一〇三ページを参照）を禁じたことがあった。けれども、家紋そのものに及ぶものではなかった。こうした中で、武士から町人になる人が多かった。武士を見習って、すでに町人も家紋を有し、暖簾を家紋で飾ったりしていた。農村には武士を捨てて帰農した人が多く、その旧武士が名主などの指導者になり、農民に家紋を分かつこともあった。

公家《くげ》・武士と家紋は密接に結び付いてきた。だが、町人や農民の苗字と家紋とは結びつかない場合が多い。家系を調査する場合、自分の家の家紋をしっかり認識するとともに、こうした家紋の性格もよく知っておく必要がある。

◆家紋こぼれ話

丹羽基二氏の論考によれば、もともと家紋は家の印《しるし》（シンボル）であり、苗字と一体のものだ。いってみれば、「家紋は絵に描いた苗字」である。文字の読めない人のいた時代には、このほうが伝わり方が早かった。そして歌舞伎役者の芸紋などとともに、家紋は庶民の間にも普及したのである。（『姓氏の由来ものしり事典』＝ベネッセコーポレーションより）

家紋はその一家にひとつなのか

家紋は自分の家に一個しか存在しないと思っている人が、かなりたくさんいる。

しかし、家紋は決して一つの家に一つとは限らない。地域によって異なるが、家紋には男紋と女紋があり、夫の紋と妻の紋は違う。

また昔の武士には、家を代表する家紋として定紋《じょうもん》があり、そのほかに、それぞれの理由によって伝わった紋があって、それを遊びや私的な集いなどに用いた。その紋を替紋《かえもん》といった（五一ページを参照）。また定紋を表紋《おもてもん》、替紋を裏紋《うらもん》とも呼んだ。

そもそも由緒ある家の紋が、一つしかないという方がおかしい。織田信長を見れば、それは一目瞭然である。

信長の先祖は越前国織田荘（福井県越前町）に住んだことで、織田姓を名乗った。織田家の家紋は「五窠《ごか》の唐花《からばな》」と呼ばれる木瓜《もっこう》紋（九五ページを参照）である。

しかし「織田系図」は、信長の先祖を平資盛《すけもり》につなげて清盛の末裔《まつえい》とし、「揚羽蝶《あげはちょう》」（七四ページを参照）を家紋とする。

これについては、源平交替思想というものが背景にある。つまり、源氏の系統である足利氏に次いで、天下を取るのは平氏だという考えだ。その考えに基づいて、信長が系図を偽造して、自分を平家につなげたとの説が有力である。

だが、それはともかくとして、平家の代表紋である揚羽蝶紋が信長の家紋となった。

さらに信長は足利義昭を戴いて上洛し、将軍の座につけた。これを感謝して義昭は信長を「御父《おんちち》織田《おだ》弾正《だんじょうの》忠殿《ちゅうどの》と呼んで、足利氏の紋である「二引両《にびきりょう》」（八六ページを参照）と、足利尊氏《たかうじ》が後醍醐《ごだいご》天皇から賜った「五三の桐」（六九ページを参照）の二つの家紋を信長に与えた。

愛知県長興寺にある狩野元秀筆の肖像画には、義昭からもらった「五三の桐」を裃《かみしも》に付けた信長の姿が描かれている。

また信長は、この世界はカネの世の中、カネさえあれば、鉄砲などの武器が買えるとばかりに、「永楽銭」紋を旗印にした。

さらに長柄《ながえ》の傘は、天皇・貴族などの権威のシンボルであることから、権力指向の強かった信長は「金の唐傘《からかさ》」を馬印にした。笠は傘と同じ意味を持つが、南蛮笠（西洋帽子）を「唐人笠兜」と称して、信長本陣の馬印にもしている。

つまり信長は「木瓜」「揚羽蝶」「二引両」「五三桐」「永楽銭」「傘（笠）」の六つを自分の紋としていたのだ。

沼田頼輔著『日本紋章学』によれば、仙台藩の伊達家には「竹に雀」「牡丹」「三引両」「九曜《くよう》」「鴛鴦湾《おしのまる》」「桐」「薺《なずな》」の七つの自家の紋があると記す。

しかし大名家でその上を行くのが、土佐藩の山内氏で「三つ柏」「波」「白黒一文字」「大一大万大吉」「桐」「黒餅《こくもち》」「鎌に輪」「折烏帽子《おりえぼし》」「九枚柏」の九種にのぼり、さらに「無」の旗印がある。

だが、さらに上を行く旗本がいた。それは伊丹《いたみ》氏で、「藤丸に八文字」「薺」「六藤」「帆懸船《ほかけぶね》」「九字」「菊」「蛇の目」「藤菱」「三碇《みついかり》」「卍《まんじ》」「巴《ともえ》」「九曜」「七曜」と、実に十三もの家紋を有していた。

家系図は子孫への大切な置き土産

「家柄」という言葉がある。昨今の流行語でいえば、「セレブ」である。名門、旧家、エリート、エスタブリッシュメント。類語は枚挙《まいきょ》に暇《いとま》がない。

自分探しをする人は、何らかの形で、「家柄」にこだわっているといえる。こだわっていなくても、もし先祖の出自がよければ、満足度は高まる。

そうした先祖の出自を尋ねて、自分自身の家系図を作り、できれば息子や娘に残してやれたら、それは子孫への素晴らしい置き土産になる。

家系調べにおいて、先祖を知る早道は、祖父や曾祖父の檀那寺《だんなでら》（菩提寺）を探すことである。近年の墓には、まだ歴史が浅い分譲霊園のタイプが多い。ここでは、墓に埋葬されている人間しか分からない。

だが檀那寺では、過去帳によって、先祖の俗名、戒名、没年月、また寺によっては享年まで分かる。そして、それをつなげることによって、先祖が辿《たど》れるのである。

最近は、ほとんどの人が東京を中心とした首都圏、また大阪、名古屋などの大都会に生活の場を持つようになって、檀那寺がなくなった。しかし、四、五十年前には地方に住んでいる割合が多く、先祖の墓や過去帳がその地元に残っていることが多いのである。

また先祖の故郷を訪ねて、役所や役場で戸籍簿、除籍簿を調べるのも、先祖を知る一歩になる。ただし戸籍簿や除籍簿は、当事者本人でなければ見せてもらえないので、他人に頼んで取り寄せることはできない。さらに除籍簿の保存は八十年間であり、明治時代に亡くなった人は分からないことになる。

この点、檀那寺は寺さえきっちりと存在していれば、さらに昔にさかのぼれる。それは江戸時代、キリシタンを禁止する目的で、寺に宗門帳というものが作られたからだ。これを檀家《だんか》制度という。自分が属する寺に墓を建て、お布施をし、先祖の霊を弔い、葬儀を頼む習慣は今に続いている。

この檀家制度によって、不完全ではあるが、その寺に属する人々の簡単な履歴が残ったのである。

PART 1

家紋のなるほど誕生学

家紋は日本人の文化遺産

家紋は、公家の社会、武家の社会で誕生した。それは平安末期から鎌倉期にかけて、天皇・貴族の衣服の文様を基調として、公家の牛車《ぎっしゃ》など乗り物の装飾となった。また、武家では武具の意匠として取り入れられ、旗印となって広がった。

家紋は、天然自然の花や木、星や雲、山や水、昆虫などの小動物たち、また調度品、さらに信仰物までもを題材にしている。家紋は長い年月を経て、簡明で洗練された対称的な図形にデフォルメされ、実に均整の取れた美しい紋様に仕立て上げられた。

家紋と同様にヨーロッパでは、騎士のシンボルとして紋章が生まれた。それは世襲の紋となり、日本と同様に権威の象徴となった。しかし、その紋章は写実的であり、図案の上からいっても家紋とはまったく異なる。

家紋は、日本が生み育てた独特の紋章で、世界に例を見ない。見事に加工され、簡素化されたその意匠には、花鳥風月を友とし、茶の湯や生け花に心を通わす、日本独特の美意識がある。家紋は日本人が生んだ独特の文化遺産なのだ。

家紋のいろいろ

傘《かさ》紋

三本唐傘

傘といっても、中国から来た唐傘である。日傘は太陽の光を受け止めることから、権力を象徴する。信長は天下の王者をめざして、傘を旗印とした。

三本唐傘を家紋とする名越《なごし》氏は、楠木正成《まさしげ》を千早城に攻めた際、夜襲を受け、家紋のついた旗や幕を残して逃げた。翌日、楠木軍は奪った旗や幕を掲げて家紋を辱《はずかし》めた。これを不名誉とした名越軍は、死を決して突撃した。だが、険阻《けんそ》な山城に歯が立たず、大敗を喫する。家紋には、それほどの重い意味があったのである。

■この家紋を用いているのは……名越、笠、佐藤、牟久《むく》、秩父、江馬、岩瀬、岩佐、曲淵《まがりぶち》、植村などの各家。

家紋の起源は縄文時代に溯《さかのぼ》る

家紋の源流を尋ねれば、縄文時代にその萌芽を見ることができる。一万二千年前に始まるとされる縄文の早期、底がとがった尖底《せんてい》土器に、縄を用いた巧みな紋様が出現する。それは太い水の流れを連想させる。また笹竹で深鉢形土器に描かれた紋様は渦巻紋である。

縄文人はやがて土器に、狩猟で捕まえた猪《いのしし》を表現する。口縁に蛇を這《は》わせもした。同じ蛇でも、毒がある蝮《まむし》をかたどって、取っ手にした土器もある。また火炎土器には、渦巻、円、巴が紋様として、大きく表現されている。

縄文人は自然の恵み、増殖を願って、女体を神に見立て、土偶《どぐう》という人形《ひとがた》を造って精霊と交感していた。その裸体は巴状もしくはS字状をした渦巻紋、また沈線紋、対称弧刻紋など、さまざまな紋様に彩られるものが多い。また蝮を頭に乗せた土偶もある。

水田耕作の技術が、渡来人とともに入ってきて、二千三百年前に弥生時代が始まる。縄文人は山野に獲物を求め、海川に魚介を求めることが多かった。縄文人の紋様は力強い。土偶は女であっても、それが身につける紋様は男のエネルギーに溢れていた。しかし、弥生期に渡来人がもたらした紋様は、やさしく、美しく、女性的なものへと変化する。

家紋のいろいろ

団扇《うちわ》紋、地紙《じがみ》紋、扇骨《おうぎぼね》紋

重ね地紙

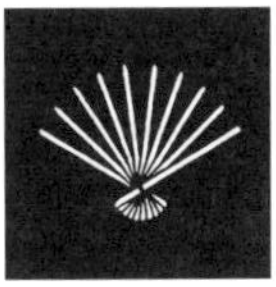
十本扇の骨

団扇は軍配団扇から転じた紋。平和的、尚美的な面が強い。地紙は扇の骨を外したもので、中に絵を描き込むこともなく、実にシンプル。逆に扇骨は地紙を外したところに、奇抜な面白さがある。

■この家紋を用いているのは……「団扇」は矢島、野田、中島などの各家、「地紙」は祖父江《そぶえ》、徳永、村松などの各家、「扇骨」は森川、稲生などの各家。

三角の紋様が示すものとは？

最近は、三世紀半ばの邪馬台国[注5]の女王・卑弥呼《ひみこ》の時代が、弥生ではなく、古墳時代と呼ばれるようになった。そこから七世紀に至るまでの三百余年、埴輪や古墳に描かれる紋様に家紋そっくりのものが現われる。

その最たるものが三角紋である。埴輪の巫女《みこ》では、衣装、襷《たすき》、台座といったところに三角紋が描かれている。巫女だけでなく、冠をかぶった男の埴輪では、冠も服も朱に塗られた三角紋で埋まる。また家型埴輪の屋根をびっしり三角紋で覆って、その上に堅魚木《かつおぎ》、千木《ちぎ》を載せたものもある（一三二ページを参照）。

縄文時代には、呪術的な意味合いをもって、蝮が表現された土器や土偶があった。古墳時代になると、それが蛇の鱗《うろこ》に変わって、三角紋になった。埴輪は古墳の埋葬者の祭祀《さいし》のために作られ、古墳上やその周囲に置かれた、非常に呪術性の強いものである。

そうした埴輪に蛇を抽象化した三角紋が多用されていることは、古墳に入り込もうとする邪気を追い払う意味を持つと思われる。そして後の世に、三角紋は鱗紋と呼ばれ、北条氏が家紋として使うなど、家紋を代表する紋の一つにまでなる。

（注5）中国の正史、『三国志』の中の「魏志倭人伝」に出てくる国だ。この「魏志倭人伝」、正確には「魏志烏《う》丸《がん》鮮《せん》卑《び》東夷《とうい》伝倭人条」という。

古墳にはどんな紋様が残されているのか

竜は家紋において主役の一翼をなす、重要な架空の動物である。中国製の方格規矩四神《ほうかくきくしじん》鏡が弥生時代の紀元一世紀に日本に渡来する。そこに竜が描かれている。

大阪府和泉《いずみ》市の池上・曽根遺跡から出土した、一、二世紀ころの土器には、竜が線刻されている。その模倣鏡が四世紀の古墳から出土する。

竜は奈良県明日香村の高松塚古墳の壁面をも飾っている。東の方向を鎮める青竜は、雨を呼ぶとされており、農耕民族の日本人に古くからもてはやされていたことを物語る。

蝶もまた重要な家紋の一員である。四、五世紀の古墳時代の遺跡、鹿児島県種子島《たねがしま》の広田遺跡で、蝶形の貝符《かいふ》が出土した。

これは不思議な紋様を刻む貝の加工物で、護符《ごふ》のように見えることからそう呼ばれる。沖縄では縄文後期のころから、ジュゴンの骨を使って、この蝶の形が作られていた。

蝶は幼虫の毛虫・青虫から蛹《さなぎ》を経て、美しい姿になる。その羽化が人間の成長や出世を連想させることもあって、蝶は愛される小動物となった。この蝶は東大寺の正倉院御物《ぎょぶつ》の「鳥木石夾纈屏風《きょうけちのびょうぶ》」にも何匹も描かれる。

家紋のいろいろ

庵《いおり》紋

庵に木瓜

歌舞伎の「夜討《ようち》曽我」など、いわゆる曽我ものに、「庵に木瓜《もっこう》」という紋が必ず登場する。これは曽我兄弟の紋として有名である。

父・河津（伊東）祐泰《すけやす》の仇で、曽我兄弟が討った工藤祐経《すけつね》も、一族で同紋。祐経の子孫である伊藤氏は、日向《ひゅうが》・飫《お》肥《び》五万七千石の大名になった。

庵は草や木で作った飾りけのない素朴な建物。風流を愛する人や世捨て人が山野に営んだ。庵紋は木瓜のほか桔梗、鶴、文字紋などを入れて、複合した形で用いられた。

■この家紋を用いているのは……伊東、工藤、海老名、板橋、三隅、長尾、葛山《くずやま》、杉山などの各家。

奈良県斑鳩《いかるが》町にある六世紀の藤ノ木古墳は、法隆寺のすぐ近くに位置する。昭和六十一年（一九八六）の調査で、金銅装飾鞍金具が出土した。そこに鳳《ほう》凰《おう》、獅子、兎などの紋様が透かし彫されていた。また亀の甲羅に似せた亀甲《きっこう》紋（一八七ページを参照）も描かれていた。さらに杏葉《ぎょうよう》（二〇二ページを参照）の意匠もあった。これらの紋様はそのまま家紋に通じる。

このように、古代の古墳から出土する遺物は、家紋の祖型でいっぱいである。その紋様は、弥生以降のほとんどが舶来の紋様なのである。

こうした紋様は、やがて貴族が身に着けた唐風の纐纈《こうけち》や蝋纈《ろうけち》と呼ばれる、染色された衣装にも取り入れられる。そして平安中期、和風が進み、かさばった装束となり、織物紋様が発達する。

貴族の男たちは正装の際、束帯《そくたい》の袍《ほう》（朝廷で着用する上衣）の紋様に自分独自のものを使うようになって、家紋といえる紋様が、しっかりとした輪郭を持つようになるのである。

家紋のいろいろ

石畳《いしだたみ》紋

細輪の三つ石畳

石畳（甃）は一応、正方形の敷石をかたどったものとされている。だが、むしろ碁盤の目を互い違いに白黒とする、連続紋様の一部を切り取った紋といった方が妥当だ。

石畳は、古くからの紋様である。その数から三つ石畳、八つ石畳などと呼ぶ。

この紋は、歌舞伎の佐野川市松が寛《かん》保《ぼう》元年（一七四一）に袴《はかま》につけて、人気となった。〃市松染〃の名は今日に残る。

■この家紋を用いているのは……土屋、田中、鵜殿《うどの》、正木、秋田、今村、熊谷、斎藤、入江、井口、上原、山本、神谷、本郷などの各家。

家紋と軍旗の関係とは？

紋様が貴族の衣服から抜け出て、家紋への道を歩み出すのと並行して、旗が果たした役割も大きかった。

この旗が目印として使われた最初は、景行《けいこう》天皇の時だった。『日本書紀』には、景行天皇が熊襲《くまそ》討伐に向かう途中、現在の山口県防府《ほうふ》市のあたりで、女首長の神夏磯《かみなつそ》姫《ひめ》が、天皇の軍勢を恐れて降伏したとある。

この時、神夏磯姫は賢木《さかき》の上の枝に八握剣《やつかのつるぎ》を掛け、中の枝に八《や》咫鏡《たのかがみ》注6を掛け、船の舳先《へさき》に白旗を掲げた。この白旗は、降伏の目印として使われたのだ。

やがて色彩を施された旗が、戦いの目印となり、敵味方を識別するために使用される。

その最初は、西暦六七二年に起きた壬申《じんしん》の乱の折であった。柿本人麻呂が、当時、東軍の最高司令官を務めた天武天皇の長子・高市皇子《たけちのみこ》を惜しむ挽歌の中で、兵士たちが持つ旗は、野に燃え上がる火のように赤かったと、表現しているのである。

天智天皇の子である大友皇子との戦いで、天武天皇（当時は大海人皇子《おおあまのおうじ》）は、日ごろから尊敬していた漢の高祖注7にあやかって、高祖が尊んでいた赤い色を、自軍の統一シンボルとした。

（注6）「握《つか》」とは、手を握ったときの、人差指から小指までの長さ。つまり、八握とは「八にぎり」の長さをいう。八咫鏡は「三種神器」の一つ。天照大神が天の岩戸に隠れた時に作られたと伝えられる。

（注7）紀元前二四七～一九五。前漢初代の皇帝。つまり、劉邦のこと。宿命のライバル、項羽と天下を争って、これを破った。

すなわち、将兵すべてに赤い布を付けさせ、また旗を赤に統一したのだった。この燃えるような赤は、戦いを大いに鼓舞するものであった。
この赤を平家が用い、源氏は白旗を掲げて戦った。それが源平合戦である。平家の赤旗は西海の壇ノ浦に沈んで、中世、武士の世は、源氏の白旗の時代となった。

家紋のいろいろ

村濃《むらご》紋

村濃

染め紋様の一つだ。本来、この村濃には色彩があり、その色に意味があった。つまり一種類の色を用い、濃淡のむらを出した。これを「むら濃」と呼んだ。村濃を用いる家では、自分の家の色を選び、むらの出し方もそれぞれ工夫した。しかし、やがてそうした色彩の妙は失われた。

村濃は畠山氏の代表紋である。平安時代の末、畠山重忠が白旗を掲げて戦いに参加した。源頼朝がそれを見とがめた。そこで重忠は、頼朝から与えられた小紋の藍革《あいかわ》の模様を旗に捺した。この紋は、それに始まるとされる。

■この家紋を用いているのは……畠山、二階堂、井出などの各家。

家紋はどのように発祥したのか

源氏の世の中になって、すべて白旗になった。しかし、それでは目印にならない。

武家の棟梁となり、鎌倉幕府を開いた源頼朝《よりとも》は、やがて白旗を自分自身だけの将軍の旗と考えた。そして、自分のもとに馳せ参じる者たちが、白旗を掲げることをよしとしなかった。

頼朝は弟の義経《よしつね》を匿《かくま》ったとして、文治《ぶんじ》五年（一一八九）に奥州平泉の藤原氏討伐に向かう。

この時、頼朝は頭上に白旗を掲げると共に、千葉常胤《つねたね》が献じた軍旗をも掲げた。そこには八の字形に二羽の鳩が向き合った絵を縫い付けてある。そして、その上部に、伊勢大神宮、八幡大菩薩と墨書きされていた。

『吾妻鏡《あずまかがみ》』によれば、宇都宮を過ぎたあたりで、常陸《ひたち》国から佐竹四郎隆義が追いついた。佐竹氏は清和源氏の義光の流れを汲んでいて、頼朝とは同族である。当然ながら無紋の白旗をなびかせていた。頼朝はこれを咎《とが》め、ちょうど持っていた扇を授け、それを旗の上に付けるように命じた。佐竹氏は以来、この扇をもって家紋とする。

頼朝はこうして、自分のもとに参集する武士たちに、その家が一目で分か

家紋のいろいろ

車《くるま》紋

榊原氏の源氏車

生駒氏の波切り車

水車

車紋のもとになっているのは、御所《ごしょ》車（公家が乗る牛車《ぎっしゃ》）の車輪。そのあでやかな紋様は、『源氏物語』を連想させるためか、「源氏車」と呼ばれるようになった。

車紋には、車輪の骨が八本と十二本の二種類がある。十二本のものは、伊勢外宮の神官から出た榊原氏の紋で、とくに「榊原車」と呼ばれる。また、数の多さで一、二を争う苗字は「佐藤」だが、佐藤氏は伊勢を本貫とし、伊勢

る印を与えた。

白い猪を弓で仕留めた朝倉氏には「三《み》つ盛木瓜《もりもっこう》」、二羽の鶴を見事に弓で生け捕りにした南部氏には「鶴」、平家追討の功によって島津氏には「十字」の紋を与えた。また義経を討つよう命じた土佐房昌俊《とさぼうしょうしゅん》には「二文字に結び雁金《かりがね》」の旗を授与している。

こうして見ると、家紋の生みの親は、麾下《きか》の者たちが自分と同じ白旗を掲げるのを嫌って、さまざまな印を与えた頼朝といえる。しかし頼朝以前に、家紋は生まれており、その過程を、『保元《ほうげん》物語』や『平治《へいじ》物語』、『源平盛衰記』に辿ることができる。


信仰を全国に広めるため、神官・御師《おし》となって全国へ散った。この佐藤氏は、源氏車を代表家紋にした。

生駒氏も源氏車だ。秀吉の朝鮮出兵の折、生駒水軍は嵐をついて敵船に襲いかかり、軍功を立てる。この時、矢砲の中を突き進む船を飾る幕に源氏車の紋がついていた。この紋の下半分が波間に隠れると、車輪が波を切って勇ましく進むように見えた。

これを伝え聞いた秀吉は、賞するとともに、生駒氏に対して、半輪をもって家紋とせよと命じた。生駒氏では、これを「波切り車」と呼んで、以後、半輪紋にした。

なお車紋には、他に水車と風車をかたどった紋がある。
■この家紋を用いているのは……「車」は榊原、佐藤、太田、河村、及川、三宅、桜井などの各家、「水車」は土井、柴山などの各家、「風車」は片桐、関、山崎、島、室などの各家。

源平の戦いを飾った家紋とは？

『源平盛衰記』の中の一ノ谷合戦の描写に、家紋となる紋様が示される。源義経は、世に鵯越《ひよどりごえ》の坂落としといわれる奇襲作戦をとった。馬と一体となって峻険な崖を滑り落ちるようにして、平家の海辺の城に突入した。この時、熊谷次郎直実《なおざね》・小次郎直家父子と平山武者所季重《むしゃどころすえしげ》が先陣を争う。「その日の平山殿の装束には、重目結《しげめゆい》の直垂《ひたたれ》に赤威《あかおどし》の鎧ひきて、二引両《にびきりょう》の母《ほ》衣《ろ》を懸け」とあり、熊谷父子より先に平山が斬り込んだ。一方の熊谷直実の姿を「褐《かちん》の鎧、直垂に家の紋なれば、鳩に寓生《ほや》をぞ縫いたりける」と描き、すでに熊谷氏の家紋として名高い「鳩に寓生」紋を直垂につけていたと、『源平盛衰記』はいう（七三ページを参照）。

平家の都落ちに際して、平薩摩守忠度《さつまのかみただのり》は藤原俊成《としなり》に詠草《えいそう》（和歌などの草稿）一巻を託し、一ノ谷に死んだ。俊成は忠度の歌を「よみ人知らず」として、「さ、波や志賀の都はあれにしを昔ながらの山さくらかな」の一首を『千載《せんざい》和歌集』に採用した。その忠度は馬の鞍に「遠雁《えんがん》」の紋を付けていた。

屋島の合戦では、赤袴に五衣《いつぎぬ》姿の平家の女房が、紅の地に金色の日輪を描いた扇を、船端《ふなばた》に挟んで、陸地の源氏にこの的を倒せと手招きした。この日輪の扇を見事に射おとしたのは那《な》須与《すのよ》一《いち》であった。浜辺に馬を進めて弓を引

◆家紋こぼれ話

丹羽基二氏は、その著作（『地名と苗字の謎』。幻冬舎）の中で、こう述べている。

「〝源《みなもと》〟の氏《うじ》の起こりは、嵯峨《さが》天皇に由来する。嵯峨天皇は国費節減のため、たくさんの子女を臣籍に降下させた。そのとき『朕《ちん》と汝らとはミナモトが同じ』という意味で〝源〟の氏を与えた」

右記が、源氏系の姓氏のルーツである。

く与一の軍装に、家紋になるデザインが詰まっている。

紺村濃《こんむらご》の直垂、箙負《やおい》には中黒《なかぐろ》の意匠、貝鞍《かいくら》には州崎《すざき》に千鳥が飛ぶ――。ここに出てくる中黒とは、家紋では一引両《いちびきりょう》と呼ぶ（八六ページを参照）。また千鳥は、のちに「丸に千鳥」紋が愛されるようになる（一九三ページを参照）。

このように、源平争乱の場面で、武士が着ける直垂を中心として、弓矢、馬具などの紋様に、家紋となるものが数多く見られるのである。

武家の世、武士たちは旗印を掲げて自分の存在を大いにアピールした。手柄を恩賞に結び付けるため、自分の働きがほかの者にも分かるように、旗印を目立つものにする必要があったのだ。このため、旗に描かれる意匠が複雑だと、それが誰なのか分からないことになる。そこで、簡明なものがおのずと採用されることになった。といって、旗印のすべてが家紋というわけではない。だが、家紋が好まれて、多くの武将が旗印に用い、また陣幕にも使った。旗印や陣幕を見れば、一目瞭然、それが誰の旗で、誰の陣地なのか尋ねる必要がなく、すぐに分かったのである。

その家紋は武士が手にする以前、貴族の紋様として生まれ、熟成された。それだけに、荒々しい武士の気風をみなぎらせるのではなく、貴族好みの美意識に支えられているところに、大きな特徴がある。

そして家紋には、一家一族がみな健康で長生きし、家が隆盛して、子孫が繁栄することを願う、そんな意味合いが込められていた。

◆家紋こぼれ話

丹羽基二氏は、次のように論考している。

「平氏の『平《へい》』は『平和な』という意味を持つ。これは桓武天皇が平安を願って、奈良からわざわざ京都の平安京に遷都《せんと》したことに基づく。

そのシルシに桓武天皇は、皇子が臣籍に降下する際に『平《たいら》』の氏《うじ》を用いさせた。それで桓武平氏という」（『地名と苗字の謎』＝幻冬舎より）

右記が、平氏系の姓氏の起こりなのだ。

中国由来の家紋はあるのか

　奈良・斑鳩《いかるが》の法隆寺を訪れると、金堂の阿弥陀如来像[注8]の頭上にある天蓋《てんがい》に、鳳凰《ほうおう》の木像があしらわれている。また正倉院[注9]の錦の紋様では、葡萄唐草《ぶどうからくさ》の輪の中に鳥冠《ちょうかん》と首飾りを赤で、頭、足、羽毛を緑と黄で織った鳳凰が一羽、羽を大きく広げている。

　鳳凰は古墳の壁画にも描かれ、さらに古墳から出土する環頭太刀《かんとうたち》の環頭部分にも、それがデザインされているものがある。ちなみに、環頭太刀とは大陸の影響を受けた、柄頭《つかがしら》が環状になっている太刀のことだ。古墳に眠る王の権威を象徴していると思われる。

　鳳凰は王者の出現を祝福する架空の瑞鳥《ずいちょう》であり、中国の伝説がもとになっている。鳳凰は梧桐《ごどう》（中国南部原産の、樹皮が緑色の青桐《あおぎり》）の林に竹の実を食べて棲むとされた。この故事が中国から渡来して、平安朝の昔、天皇や貴族は、鳳凰に桐、竹をあしらった衣服を着た。その紋様は中国文化を衣裳に移したものであり、外来のファッションとはいえ、ハイカラに見えた。

　この紋様はやがて「鳳凰」紋（一九二ページを参照）となり、「竹」紋（二〇〇ページを参照）となった。また鳳凰の棲む桐の木は、聖王の出現を祝う嘉木《かぼく》として、「桐」紋となり皇室紋となった（六九ページを参照）。

（注8）西方極楽浄土《さいほうごくらくじょうど》の教主（教えを説く人）。一切の衆生《しゅじょう》（生きとし生けるもの）を救うために、四十八の誓いを立てた。浄土宗および浄土真宗のご本尊。

（注9）奈良の東大寺境内にある木造の大倉庫。大きく二つの建物からなる。一つは宝庫で、もう一つは経巻を収納した聖語蔵《しょうごぞう》だ。宝庫は、いわゆる校倉《あぜくら》造りで出来ており、ここには聖武天皇の遺愛品、東大寺の寺宝・文書など、七～八世紀の東洋文化の粋、九千余点が収められている。

鳳凰が架空の鳥ならば、「唐花《からばな》」は紋様美の追求の中で生まれた空想の花である。これは唐草紋様と共に、唐の時代に完成した、均整のとれた、実に美しい花で、日本にもたらされて、代表的な家紋となった（七七ページを参照）。

弥生時代以降、平安時代まで、日本は大陸から入ってくる文化を一方的に受け入れて、文化水準を高めてきた。

家紋の紋様には、中国生まれやシルクロードを通って中国経由で日本に移入されたものが実に多い。また日本にはなかった大輪の菊、香《かぐわ》しい牡丹などの「帰化花」を愛でて、これを家紋にしたものも少なくない。また銀杏《いちょう》、葡萄、茄子《なす》といったものも中国から渡来して、家紋になった。

遣隋使、遣唐使[注10]が持ち帰った仏典、思想書、文学書から学んで、そこに書かれた〝いわれ〟がもととなって生まれた家紋も多々ある。

家紋は中国には存在しない。しかし、中国渡来の紋様、また輸入の植物や器物、伝説、故事をもとにして、家紋は成り立っている。家紋のもとになった多くの紋様の故郷は中国なのだ。

（注10）六〇七年から八三四年に至る二百十数年の間に、わが国は、まず遣隋使を、つづいて遣唐使を中国に送り出した。遣隋使は前後三回、遣唐使は十六回にわたって渡航した。
遣隋使の主だった人物としては、小《お》野妹子《ののいもこ》が挙げられる。また遣唐使のメンバーには、山上憶良《やまのうえのおくら》、吉備真備《きびのまきび》、玄《げん》昉《ぼう》、最澄《さいちょう》、空海、橘 逸勢《たちばなのはやなり》など、帰国したのち政治・宗教の分野で活躍した人が多い。また、阿倍仲麻呂のように、唐朝に重く用いられ、ついにかの地に骨を埋めた者もいる。

COLUMN 3

リアルで派手な西洋の紋章

紋章はヨーロッパでも発展した。日本の家紋と比較すると、成り立ちや意味において、共通点が多い。一方、そのデザインにおいては大きな違いがある。

西洋の紋章もやはり家紋同様に、戦場において、個人を識別するために生まれた。十二世紀、十字軍がヨーロッパから遠征した。イエス・キリストの墓がある聖地エルサレムをイスラム教徒から奪い返すためだ。その戦場で騎士たちは、兜《かぶと》をかぶって戦った。

ところが、兜によって顔がすべて隠れてしまうため、誰が誰だか分からなくなることに気づいた。この点、イスラム教徒の方がすぐれていた。兵士たちは楯《たて》や旗を掲げ、それぞれに紋章を描いていたからである。これを真似て、十字軍も楯に自分専用の紋様を描いて対抗した。

紋章そのものは、もともとギリシア、ローマ時代からあった。その紋章が個人のものとして発達するのは、十字軍の遠征をきっかけとしてである。

初め騎士の間に広がった紋章が、十四世紀になると、各階層に浸透する。そして市民、農民までもが紋章を用いるようになった。

しかし、紋章が世襲的な意味を持ち、継承されるのは、封建社会における騎士（ナイト）、すなわち貴族たちによってである。この点で、家紋の担い手が、日本では武士だったことと非常によく似ている。

わが国の家紋の発達に、旗印が果たした役割は非常に大きい。その点、西洋では騎士が持つ楯が重要な働きをした。つまり、楯に紋様を描くことで、紋章は進歩したのだ。

やがて騎士の武術試合が大流行すると、楯の紋章が兜に取り入れられ、兜飾りになった。

騎士たちも兜をライオンや鷲などで飾ったのである。そのライオンや鷲は日本の家紋と違い、写実的で派手に表現された。

西洋の紋章は時代と共に、紋様を描いた楯に兜飾りが乗るデザインとなる。また、冠をあしらうようにもなった。

家紋は『万葉集』の心をデザイン

木は農耕民族の守護神である太陽（天照大神《あまてらすおおみかみ》）と深い関わりを持つ。二十年ごとに行なわれる伊勢神宮の式年遷宮《しきねんせんぐう》では、檜《ひのき》を木曽の山などから切り出して、神殿を建て替える。その神殿の最も神聖なものは、床下に収められた心《しん》の御柱《みはしら》とされる。

実は、柱とは天の神が地上に降りる依代《よりしろ》のことである。柱を依代として天照大神をはじめ天神たちは、この地上に降りるのだ。柱と樹木は同じと見られ、まっすぐ天に向かって伸びる木、とくに檜や杉に神は依りつくと、古代人は信じた。

また『日本書紀』は、天照大神の弟である素戔嗚尊《すさのおのみこと》から、木々が生まれたとも記す。すなわち髭《ひげ》は杉になり、胸毛は檜に、尻の毛は槙《まき》に、眉毛は楠《くすのき》になったとする。

木が与えてくれる恵みによって、家ができ、さまざまな道具も生まれた。木が根元に溜めた水が田畑を潤した。木は豊かな大地を作り出す源であった。

植物紋はこうした日本人の心の継承の中から生まれた。木が山をやさしく包み、水が太陽や月に輝く。そこから、自然への畏敬が生まれ、雪月花を愛でる心を育てた。

『万葉集』は恋を歌い、人間の心を伝える。けれども、四千首を超える歌を収録しながら、奈良の都がどのように賑わい、人々がどんな生活をしていたか、西洋の詩とは違い、都市の様子を歌わない。

しかし『万葉集』はそういうものを切り捨てて、四季を歌い、自然を詠む。草木を愛でる。木々が雨に濡れ、風に池水が騒ぎ、山が紅葉に燃える風景を歌うのみである。

家紋はこうした『万葉集』の心を、デザインしたものといえる。すなわち、家紋は図案化された『万葉集』といっても過言ではない。

その気風を好んだのは貴族だった。彼らは生活にこうしたものを持ち込んだ。木の文化を精神の基軸とした。そして、貴族の日常的な教養である「和歌」に似合う素材だけが生き残った。それは花鳥風月、また〝みやび〟の心にかなう紋様であった。

魚の家紋がない不思議

家紋で不思議なのは、魚の紋がないことである。魚は四方が海に囲まれた日本にあって、貴重な蛋白源だった。釣針、ヤス、モリ、網で魚を捕まえる漁法は、すでに縄文時代に確立していた。

神功皇后《じんぐう》は新羅《しらぎ》を攻めるべきかどうかを、鮎《あゆ》が釣れるかどうかで占った。鮎の字を分解すると、「魚」と「占」になるのは、そのためという。易関係の道具などは家紋になっている。しかし、家紋に鮎はない。

熊本県菊水町にある江田船山古墳から出土した鳥形飾り金具にも魚が登場する。藤ノ木古墳の履《くつ》金具にも魚が打ち出されている。正倉院御物にも琥珀《こはく》、斑犀《はんざい》、瑠璃《るり》などで出来た魚形がある。

魚形は唐時代に宮廷出入りの割符《わりふ》（符契《ふけい》）に使われ、日本では腰に吊す佩《はい》飾具になった。中国からの舶来物だけに、魚形紋様は家紋になる十分な資格を持ち合わせていた。

また農耕関係では鎌、枡、杵、俵、水車といったものが家紋になっていることからすれば、釣針、浮き、錘《おもり》、ヤス、モリといったものは、家紋になっておかしくなかった。しかし、それを家紋にしなかった。

後述するが、実は網は家紋になっている。もちろん魚をとる漁網である。だが、魚がかかって家紋になったのではない。観音様の像がかかって家紋になったのだ（一二七ページを参照）。

武将たちも魚を瑞祥の印として愛でている。『北条五代実記』によると、天文六年（一五三七）の夏、北条氏綱は小田原の浦で鰹《かつお》釣りをする漁師たちの様子を、船を出し、酒を飲みながら見物していた。すると鰹が一匹、船に飛び込んできた。氏綱は喜んでこれを肴《さかな》にし、家臣にも振る舞った。

その後すぐに、上杉朝定《ともさだ》が武蔵国に出撃して来たが、これを三木原（埼玉県狭山市）で破り、川越城を奪い取り、その秋には国府台《こうのだい》（千葉県市川市）の合戦でも勝った。鰹が船に飛び込んできたのは、この吉相を神が示した証《あかし》だと記している。

鰹は、「かつ」が「勝つ」に通じることから、勝魚といわれて縁起のいい魚だった。だが勝虫（蜻蛉）、勝草（沢瀉）が家紋になっているのに、勝魚は家紋になっていない。もっとも、魚を取る網に観音様がかかって「網」紋があるように、神社の棟木の上に横たわる円柱の飾り木が、鰹節に似ていることから、鰹木と呼ばれて、こちらは家紋になっている。

また扇谷《おうぎがやつ》上杉氏の家宰・太田道灌にも魚にまつわる瑞祥伝説がある。道灌は江戸城築城前に品川館（東京都品川区）に住んでいた。ある日、江ノ島の弁才天に参詣して帰る途中、品川沖でコノシロ（ニシン科の海魚でコハダともいう）が船に飛び込んで来た。

コノシロは〝この城〟と置き替えられ、また「こ」は〝九《ここの》つの城〟に通じる、築城吉相の魚として尊ばれた。『関八州古戦録』は、この瑞祥によって道灌は川越、岩槻、鉢形《はちがた》といった城を次々に築き、最後に九つ目の城として、自分が住む江戸城を築いたというのだ。

こうしためでたい魚なのに、コノシロは家紋にならなかった。ところが、まったく同じ意味を持つものに「釘抜」紋がある。釘抜が「九城を抜く」に通じるために、こちらは家紋になった。

中国から渡来した魚形は貴族社会に認められて使用され、武士もまた魚の瑞祥を喜び、魚は日本人に親しまれた。寺に輝く甍《いらか》を魚鱗《ぎょりん》というのに、「鱗」紋は魚ではなく、蛇の鱗である。野戦では鶴翼《かくよく》の構えに対して、魚鱗の戦闘体制を敷くなどともいうが、なぜか魚は家紋から除外されている。

この点、甲殻類の海老、蟹、貝類の栄螺《さざえ》、蛤《はまぐり》は家紋になっている。海老、蟹、栄螺の堅い甲羅や貝殻が頑丈で、弓矢や鉄砲の弾を跳ね返す鎧兜を連想させるからだ。また二枚貝の蛤は違う貝どうしでは蓋が閉じないため、夫婦和合の象徴として家紋になった。

ただ魚で一つ、鯉が家紋になった。しかし、この鯉は滝をさかのぼって竜になるという、竜になることを前提とした家紋なのだ。鯉そのものの特性によって家紋になったわけではない。しかも「鯉」紋は紋様ではなく、「鯉」という字をそのまま家紋にした文字紋である。

なぜ魚の家紋が冷遇されたのか、これは謎というしかない。

PART 2

家紋の知っ得アウトライン

家紋の形……その移り変わり

家紋は時とともに変わっていく。家紋の紋様が一定の法則に従い、どのように変化するか、「桔梗《ききょう》」紋を中心に、具体的に変化を説明しよう。

①最も普通の「桔梗」紋である。花を真上から見た素直な形だ。花などを素直に見た形を、家紋用語で「向《むこ》う」という。だから、桔梗の場合、正確には「向う桔梗」紋と呼んだ。

②花弁を細くしたもので、「細桔梗」という。

③花などの輪郭だけを描いたもの、つまり紋の形を線で描いたものを陰紋《かげもん》と呼ぶ。桔梗の場合は「陰桔梗」という。

④石《こく》持ち（黒餅《こくもち》）といって、白抜きにした円の中に陰紋を描くもの。「石持ち抜き桔梗」と呼ぶ。

⑤桔梗を輪で囲ったものを「丸に桔梗」という。輪には太いもの、細いもの、

①原型の桔梗

②細桔梗

③陰桔梗

④石持ち抜き桔梗

⑤丸に桔梗

家紋のいろいろ

糸巻《いとまき》紋、輪鼓《りゅうご》紋

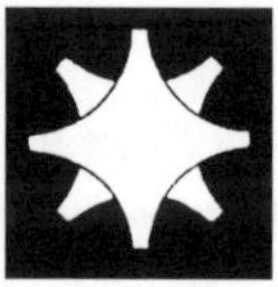
重ね糸巻板

輪鼓

糸巻は、衣服を織るのに欠かせない。その道具の大切さに加え、形のやさしさ、優雅さから家紋になった。

輪鼓は胴の真ん中がくびれた鼓。中国の玩具で、日本に伝わり、曲芸に使われた。丹波守護代・内藤氏の紋で、手鞠《てまり》と組み合わす。この紋から小鼓《こつづみ》など鼓紋もできた。

■この家紋を用いているのは……「糸巻」は津田など、「輪鼓」は内藤、大関、滝、宇野、田中などの各家。

その中間、さらに「蛇《じゃ》の目《め》」紋のような超太輪もある。
⑥花を萼《がく》、茎のある裏側から見たもので、「裏桔梗」という。
⑦斜め上から見た桔梗で、「横見桔梗」という。
⑧輪や角の中に、桔梗の花の一部が少し姿を見せる感じにデザインしたもの、あるいは輪や角の端に、小さく桔梗をあしらうものだ。これを「覗《のぞ》き」といい、桔梗ならば「覗き桔梗」と呼ぶ。
⑨花弁などをたくさん表現したものを八重《やえ》という。花弁が八枚あるという意味でなく、数が多いという意味だ。「八重桔梗」といった場合は、花弁が十枚ある。
⑩花弁の間に剣《けん》を配するもの。「剣桔梗」という。
⑪花弁の間に蔓《つる》をデザインするものは「蔓桔梗」。
⑫葉のふちを鋭く尖らせて描いたもの。これを「鬼《おに》」と呼ぶ。桔梗は花が主

⑩剣桔梗

⑥裏桔梗

⑪蔓桔梗

⑦横見桔梗

⑫上は原型の蔦
下が鬼蔦

⑧覗き桔梗

⑨八重桔梗

体の紋なので、鬼という表現はそぐわない。だが鬼は、葉が紋様の植物紋に見受けられ、「鬼蔦」「鬼桐」「鬼梶」などといった。

⑬花に「捻《ひね》り」を入れて図案化したもの。「捻り桔梗」という。

⑭紋様を上下逆さまにした家紋がある。その代表が「藤」紋で、花房が上を向いているのが「上《あが》り藤」、下向きが「下《さが》り藤」だ。

⑮葉や枝、羽を折り曲げた形。「折れ柏」「折れ柊《ひいらぎ》」「折れ鷹の羽」などという。

⑯風呂敷を結んだように描くもの。「結び雁金《かりがね》」が、見事な紋様美を見せる。桔梗や柏などにも結んだ紋様がある。

⑰桔梗なら、その花全体を二つ、また三つに割って描く。「割り桔梗」と称する。

⑱同じ図案が左右から、また上下から対《むか》い合う形にしたもの。鳥をモチーフ

⑬捻り桔梗

⑯結び雁金

⑭上は上り藤
下は下り藤

⑰三つ割り桔梗

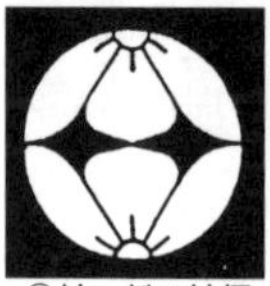
⑱対い割り桔梗

⑮上は原型の鷹の羽
下が折れ鷹の羽

◆家紋こぼれ話

桔梗の紋は土岐氏の代表紋として知られている（一二二、二〇八ページを参照）。

では、土岐氏はなぜ桔梗を選んだのだろうか。

丹羽基二氏の知見によれば、古くは、桔梗のことを「オカトトキ」とも呼んだ。これは「丘に咲く霊草」という意味だ。そこから、土岐氏が桔梗の花を家紋に採り入れたという。（『家紋のはなし／I』＝芳文館より）

にしたものに多く、「対い鶴」「対い雀」など。対い合う鳥は雌雄を示していると思われる。
⑲抱き合う形の紋。「抱き杏葉《ぎょうよう》」「抱き柏」など。植物なら葉を両側から配して、別の紋を挟む場合もある。桔梗では、花を下部に置いて、葉が抱き合う形になる。
⑳二つの同じ紋がクロスする形。代表的なのは「違い鷹の羽」である。
㉑同じ紋が並んでいる形。「並び鷹の羽」など。
㉒上下、左右が一部重なった紋。「重ね井桁」「重ね餅」などがある。
㉓「盛《も》り」といって、一見して何かを盛ったように見えるもの。「三つ盛桔梗」「三つ盛亀甲」など。
㉔同じ紋がいくつか集まり、頭と尻がつながり、追いかけっこをしているように見えるもの。「追い雁金」「追い蝶」など。このパターンで、頭をくっ

⑲抱き桔梗

⑳違い鷹の羽

㉑並び鷹の羽

㉒上は原型の井桁
下が重ね井桁

㉓三つ盛桔梗

㉔追い雁金

つけているものを「頭合わせ」、尻を合わせているものは「尻合わせ」と呼ぶ。また「寄せ」といって、中心に向かって集まる形。逆に離れようとする図形は「離れ」という。

パターンはこの他にもある。そうした中で、家紋を魅力的なものにしているのが「擬態《ぎたい》」である。擬態とは、あるものの形に似せること。たとえば、桔梗を蝶の形にデザインしたものだ。さらに、桔梗や梅の花が鶴になったり、桐の葉が蝙蝠《こうもり》になったりする。

実は徳川家の「三つ葉葵」も、「三つ巴」紋を擬態としてできた。また異説はあるが、奥州庄内藩の酒井氏の「酢漿草《かたばみ》」紋は、その徳川家の葵に似せて作られたともされる。

家紋の形は無原則に変化してきたのではなく、以上のようなパターンに従って変容してきたのである。

定紋《じょうもん》と替紋《かえもん》……どう使い分けるのか

前にも述べたように、家紋には定紋と替紋がある。定紋を表紋といい、替紋を裏紋、また副紋ともいった。

定紋とは、徳川幕府が各大名、旗本に対して、代表紋ひとつを提出させ、それを苗字と一体の紋としたものだ。江戸城へ登城する際や大名行列の時には、この定紋を用いなければならなかった。

江戸城の大手門の前には、下座見《げざみ》役といって、登城してくる大名をいち早く家紋で識別し、「誰々様ご登城」と城内に知らせる役人がいた。これによって、警護の番士は徳川御三家[注11]や老中、若年寄といった上位の人には、全員が下座台にきちんと正座して挨拶したのである。

参勤交代の大名行列でも、家紋はきわめて重要な役割を果たした。それは江戸町中でも同じだが、大名同士が出くわすことがある。その時、格が下の大名は行列を止め、殿様は駕籠《かご》の戸を開けて、会釈しなければならなかった。この儀礼に間違いは許されなかった。

だから、家士の中から家紋に詳しい者をまず先払いに加え、相手の家紋を識別するのは、非常に重要なことだったのだ。

また「火事と喧嘩は江戸の華」といわれたが、火災の際の荷物の運び出し

（注11）江戸時代における徳川家の三つの藩、尾張・紀伊・水戸を指す。家康の子、義直・頼宣・頼房をそれぞれ藩祖とする。将軍家に継嗣がいない場合は、これら三家の中から後継を出すことになっていた。

なお、御三卿というのは田安、一橋、清水の三家を指す。家格は御三家よりも下だが、将軍家を継ぐ資格を有していた。第十五代将軍・慶喜は、一橋家の出身である。

には、家紋が所有を示す印になった。そのため長持や箪笥《たんす》などにかける油単《ゆたん》（布や紙などに油を引いたもの）には、家紋が大きく染め抜かれていた。

こうしたことからも、江戸社会において、定紋は必要欠くべからざるものだったことが分かる。

ところで、大名家で、家紋がたった一つしかない家などはなかった。すでに述べたが、土佐藩の山内家は大名で最も多くの家紋を有していた。「三つ柏」が定紋で、「波」「白黒一文字」「大一大万大吉」「桐」「黒餅」「鎌に輪」「折烏帽子《おりえぼし》」「九枚柏」などの替紋に、旗印の「無」の文字紋もあった。仙台藩の伊達家は「竹に雀」が定紋で、替紋に「牡丹」「竪三引両《たてみつびきりよう》」「九曜《くよう》」など六つがあった。

本州北端の津軽家を見れば、近衛家からもらった「杏葉牡丹《ぎようようぼたん》」を定紋とし、替紋に仏教的な色彩の強い「卍《まんじ》」「弫《ふつ》」「錫杖《しやくじよう》」を用いている。九州の雄藩・島津家は源頼朝からもらったという「十字」紋を定紋として、「牡丹」「桐」などを替紋にする。

この点で面白いのは将軍家である。徳川家康の元の家紋は「銀杏《いちよう》」ともいわれるが、将軍家の家紋はただ一つで、「三つ葉葵」だけである。だが、紀州徳川家から入った八代将軍の吉宗は「蔦」紋も用いたという。なお「蔦」紋は、徳川氏の「葵」紋を遠慮した松平氏[注12]が、その代表紋として用いた紋である。

（注12）徳川氏の本姓。徳川氏は、もとは三河国松平郷の豪族であった。家康のとき、「徳川」と改姓し、以後、宗家と御三家・御三卿以外の庶流・支族が松平氏を称した。外様大名の大藩主十家にも、松平の族称が与えられた。しかし、公には用いられなかった。

まず初めに男紋《おとこもん》ありき

家紋には男紋と女紋がある。家紋の発祥以来、まず作られたのは、いわば男紋だ。この男紋に対して、女紋がはっきりした形で出てくるのは江戸時代である。

四国の東端にある愛媛県宇和島は、仙台藩の伊達家から分かれた、伊達十万石の城下町であった。安政《あんせい》三年（一八五六）、九代藩主・宗徳《むねのり》に奥州秋田の佐竹家の佳姫《よしひめ》が嫁いだ。その嫁入り道具、約七十種類が現存する。

この道具類を見ると、ことごとくに佐竹家の定紋「月丸扇《つきまるおうぎ》」紋（一六五ページを参照）がついている。厨子棚《ずしだな》注13の「月丸扇」紋は金蒔絵《きんまきえ》の扉に赤く描かれ、また銀などで日の丸もあしらわれている。佳姫は実家の紋（父の紋）を持って伊達家に嫁いだのだ。

徳川十代将軍・家治《いえはる》の御台所《みだいどころ》・五十宮倫子《いそのみやともこ》は閑院宮直仁親王《かんいんのみやなおひと》の姫君だが、十七歳で結婚して後も、実家の紋である「浮線菊《ふせんぎく》」（五六ページを参照）を使い続けた。

徳川家康の曾孫で小笠原秀政の娘であるお虎の方（お万の方とも）は、蜂須賀小六正勝の孫・至鎮《よししげ》と結婚した。この結婚が蜂須賀家を徳川幕府のもとで安定化に導いた。

（注13）調度や書画、食物などを載せる置き棚。棚の一部に両開きの扉をつけたものをいう。

徳島県藍住町《あいずみ》の正法寺には、至鎮とお虎の方の夫婦連記の位牌がある。この位牌には至鎮の戒名が記されている右側面に、蜂須賀家の定紋である「卍」紋が付いている。一方のお虎の方の左側には、小笠原家の定紋の「松皮菱《まつかわびし》」紋が描かれている。「松皮菱」は位牌だけでなく、仏具の打敷《うちしき》（仏前の卓上を覆う布）、経机《きょうづくえ》、さらに須弥壇《しゅみだん》注14にもちりばめられている。妻の紋は死後も、女紋として蜂須賀家ゆかりの寺に残ったのである。

蜂須賀家に嫁いだお虎の方、宇和島の伊達家に嫁入りした佳姫は、実家の父親の家紋を持って他家の人となった。しかし娘が嫁ぐ時の女紋は、必ずしも実家の父の紋ばかりとはいえない。

現在でも、嫁入りに、留袖や喪服を持っていく女性は少なくない。そこに描く家紋を、婚家の紋にすべきか、実家の父の紋にすべきか、また実家の母の紋にすべきか、迷う人が非常に多い。

実は、これは地方によって異なってきたのである。『源氏物語』の研究家だった村上リウさんは、生前、女紋について次のように語っている。

「関東では、そこの家に男紋と女紋というのが決まっていて、嫁にゆく時に御小袖料《おこそで》、いわゆる結納金というものがあり、嫁ぎ先の女紋を付けて嫁入りをする。つまり、嫁入り婚というのは向こうの家の形に入ってゆくことになる。

関西では婿取り婚の名残が、母方の家筋を大事にするという形でまだ残っ

（注14）仏像を安置する台。仏教でいう須弥山《しゅみせん》――世界の中心にそびえる高山――をかたどったものとされる。

ている。京都の古い町家で聞いてごらんなさい。嫁にゆく時、その娘さんは自分のお母さんの紋を背負ってゆく。娘さんにとって、そのことは、母親というもの、その生活・習慣を受け継ぎ、自分もまた一人の女として生きてゆくことなのだ。嫁いで一年目の正月に、お姑さんから紋付をもらう。その紋はいわゆる家紋、嫁ぎ先の紋です。里に帰って母親に見せると、『ああ、よかったね、お前もそうなったのね』と喜んでくれる。その時、お嫁さんは自分が母方から背負ってきた紋を選ぶか、嫁ぎ先の紋を選ぶかということになるわけなの。そう、どっちでもいいの。一方は嫁ぎ先の家の女として生きてゆくことであり、一方は自分の母方というものに誇りを持つことになるわけなのだから」（『むろまちジャーナル14号』より）

東北地方も村上リウさんが語るように、関東と同じ風習のようだ。山形では実家の紋を持っていくのではなく、嫁ぎ先の女紋を聞いて、これを嫁入り道具に付けるという。

また長野県の飯田地方では、嫁入りには実家の紋を持っていく。そして、紋付きはその女性が死んだ時、実家に返される。それが遺品となった。

大阪商人の町として名高い船場《せんば》注15では、やはり女性は実家の母の紋を受け継ぐという。このため男と同じく、女もまた一生、家紋は変わらない。嫁と姑のいる家庭では、男紋と嫁の紋と姑の紋の三つの紋が共存することになる。

関西では女性は一生、紋が変わらない。そのため、離婚しても、旧姓に戻

（注15）大阪市街の中央部、東区と南区にまたがる商業・金融街をいう。街区は東西の「通り」と、南北の「筋」によって碁盤の目のように区画されている。そして、それぞれの通りや筋に各業種がまとめて配されているのだ。たとえば東西の北浜通りは証券街、道《ど》修町《しょうまち》通りは薬種の問屋街、南北の御《み》堂《どう》筋はビジネス街、丼池《どぶいけ》筋は繊維問屋街……といった案配である。

船場の歴史は古く、豊臣秀吉が大坂の城下町を経営するため、この地を開発したのに始まる。船場の名は、その当時、船着場であったことに由来している。

る苗字とは異なり、紋は何の変更もないことになる。近年、夫婦別姓が叫ばれるが、家紋はこの点では一歩進んでいるといえる。家紋は家の印であるが、関西において女紋は個人を示す紋ともいえるのだ。

女紋はこのように、地域によって異なってきた。しかし、今後はどうあるべきなのか。男女平等、個人主義的な今日の風潮からいえば、母方の家筋を大事にするという、関西の家紋の継承の仕方が現代社会に合致しているといえよう。

つまり息子は父親の家紋を継承し、娘は母親の紋を継承する。家紋は一家に一つだけと思っている人が意外に多いが、これは明らかに間違いである。夫と妻は別の家紋を付けてしかるべきなのである。

家紋のいろいろ

浮線綾紋《ふせんりょうもん》

浮線綾

浮線綾とは、文様を浮織りにした綾織物。綾とは、線や形の模様をいう。浮線綾という特定の紋があるわけではなく、この技法で蝶、羽、唐花といった紋様を描き出した。そこで、蝶ならば浮線蝶、菊ならば浮線菊といった。

その紋様美は平安貴族の心を捉えた。『源氏物語』の「橋姫」の巻には「唐の浮線綾を縫ひて」、また『古今著《こきんちょ》聞集《もんじゅう》』には「なでしこの浮線綾に卯《う》の花を縫ひたり」などと出てくる。

女紋《おんなもん》が意味するもの

女紋は男の紋よりやや小振りで、いかにも女らしい感じのものが多い。

江戸時代、自分の家の定紋が、武器などをかたどった尚武紋《しょうぶ》や器物などの紋様で、無粋で女性に似つかわしくない場合、親は花や蝶、鳥など女らしい紋に変更し、花嫁道具に付けさせた。

また「剣酢漿草《けんかたばみ》」「剣柏」といった家紋の家では、剣を外して、酢漿草や柏だけにするとか、あるいは剣を蔓に替えたりした。

女紋が発達してゆく中で、紋を線で表わす陰紋、花を裏から見た裏紋などが人気となった（次ページの図版を参照）。また尾形光琳《おがたこうりん》注16の描き方に似ているところから、「光琳風」といわれる、線を省略して柔らかな曲線で装飾風にした様式の紋も、女紋としてもてはやされた。

幕末から明治時代にかけて、長崎に来た外国人たちは家紋の美しさに魅了された。外国人墓地である長崎市内の坂本墓地には、外国人の墓でありながら、「銀杏」「桐」「揚羽蝶《あげはちょう》」といった家紋が墓石に刻まれている。

中には、外国人が自ら考案した家紋もある。

長崎の観光名所にグラバー邸がある。この家の主人、スコットランド人のグラバー注17は日本をこよなく愛し、ツルという日本女性と結婚した。彼女の場

（注16）一六五八〜一七一六年。江戸中期——元禄期を代表する画家・漆芸家。「光琳模様」と呼ばれる独自の画風を確立する。

（注17）トーマス・ブレーク・グラバー。安政六年（一八五九）、上海を経て長崎に来航する。このとき、グラバーは二十一歳だった。その後、貿易商として独立し、幕末時には薩摩藩に近づき、討幕運動を援助した。維新後は、さまざまな経済活動に従事し、明治四十一年（一九〇八）、その功績を認められて、勲二等旭日章を受賞した。

合、「揚羽蝶」が家紋で、位牌や墓にその家紋が残っている。
ところが、珍しいのはツルの着物に刺繍された「蝶」紋である。これはまさに女紋である。しかし、日本の家紋には見当たらない「モンシロチョウ」紋なのだ。おそらく日本人の心を知りつくしたグラバーが、妻のためにデザインしたものと思われる。

ところでこの女紋だが、最近、着物を着る人はめっきり少なくなり、卒業式の袴《はかま》姿、また葬式の喪服くらいである。そこで気になるのは、貸衣装のことだ。女性が着る喪服では、近年、貸衣装は「桐」紋に統一されてしまっている。また着物を作る際も自分の家紋でなく、女紋の代表とされる「桔梗」や「蔦」を付ける人が少なくない。着物を万一、人にあげたり、売ったりする際、自分の本来の紋が入っていると困るからだという。

時代の風潮だといってしまえば、それまでだが、いかにも寂しく味気ない。卒業式の袴姿の場合も、本来は、自分の女紋をつけなくてはいけない。ところが、家紋ではなく、最近は草花を写実的にデザインしたものをよく見かける。せっかく、日本には家紋というものがあるのに、残念なことといえよう。

基本の梅紋

陰梅

裏梅

光琳梅

比翼《ひよく》紋は男女の熱烈な愛を物語る

家紋には、男紋と女紋を一つにした比翼紋[注18]がある。比翼紋は婚礼の夜の寝具に付けられることが多かった。初夜、二人はそれぞれの家の紋のもとに契った。初夜の比翼紋には、夫婦の幸せと共に、両家の新しい契りによる繁栄の願いが込められていた。

家紋は武家社会で発達し、平和な江戸時代に女紋が多様化した。それとともに、愛や恋を形にしたいという想いが人々の心の中で募るにつれて、比翼紋は生まれたのである。

八百屋お七を描く井原西鶴の『好色五人女』では、比翼紋が印象的に用いられている。暮れも押し詰まって、大火があった。お七は母と駒込《こまごめ》の吉祥寺《きちじょうじ》に避難した。寒風に震え上がる夜、十六歳の評判の美女お七に、住持の僧が見兼ねて黒羽《くろは》二重《ぶたえ》の大振袖を貸してくれた。その袖に「桐」と「銀杏」の二つの紋がついていた。

お寺になぜ比翼紋がついた女の着物があるのか。おそらく大振袖を持っていた娘に許婚《いいなずけ》がいて、二人の紋入り振袖を作ったが、結婚の寸前に死んでしまった。親は娘の想いがこもる大振袖を、寺に寄進したに違いないのだ。

お七はやがて吉三郎に恋い焦がれ、逢いたさに放火して、火あぶりの刑に

(注18)「比翼」とは、二羽の鳥が互いにその翼を並べること。「比翼連理」といえば、男女の深い契りを意味する。ちなみに「連理」というのは、木の幹や枝が他の木の幹や枝と連なって、木理《もくり》が通じていることを指す。

なる。そんなお七の未来を、比翼紋は暗示している。
江戸の吉原で豪商・紀伊国屋文左衛門《きのくにやぶんざえもん》は、カネに糸目をつけず遊びまくった。ある時、文左衛門は遊女たちを集めて、豆蟹《まめがに》を数百匹も入れた蒔絵の小箱を開いて見せた。とたんに蟹が四方に這《は》い出したので、女たちはびっくりして逃げ出した。だがよく見ると、蟹の甲羅に遊女の紋と客の紋が、比翼紋となって金で描かれていたのだ。今度は遊女たちが蟹の取り合いとなった、という逸話がある。

比翼紋は江戸時代、とくに遊郭で流行した。妻となることのまずない遊女の世界で、せめて夢でもいい、愛する人の妻になりたい。そんな想いで、遊女はお得意の客と自分の両方の家紋を櫛に描くなどして、お客に贈ることがはやったのだ。

喜多川歌麿の浮世絵を見ると、柳腰の美女の背中に「蔦」紋が目立つ。また、団扇《うちわ》などにも「蔦」が描かれている。遊女の一番の人気紋であった。

蔦は木に絡まり、また崖をも這い上がるブドウ科の蔓草《つるくさ》である。その蔦のように、男に絡まりついて、いつまでも幸せでいたい。客に絡まりついて離れたくない。客取りの不安な日々に生きる女たちの願望が、蔓を伸ばして、絡まり這い上がる蔓のイメージと一つになったのだ。

また「蔦」紋は同じ意味で、女紋としてもてはやされた。結婚した相手に絡まって、婚家で繁栄してほしいと、親が娘の幸せを願ったのである。

家紋のいろいろ

蜘蛛手《くもで》紋

蜘蛛手

川や道などが、クモの手足のように八方へ分かれて、伸びている――そんなさまを図案化したもの。

建造物にも、木や竹を放射状に組んだ個所がある。それらも蜘蛛手と呼ぶ。

■この家紋を用いているのは……坂東、坂西、川村などの各家。

逆さ紋や裏紋は、いったい何を表わすのか

家紋には天地左右のない、「餅」「蛇の目」「九曜」「四目結《よつめゆい》」などの紋がある。しかし「桐」紋のように、逆さになるとまずい家紋がある。また五弁の花びらの場合、天地を逆にすると、座りが非常に悪くなる。

ところが、故意に逆さに家紋を刻む地方がある。それは長野県の飯田地方である。墓に家紋を刻む場合、一代ごとに逆さに家紋を付ける風習があるのだ。

初代の墓には正常に家紋を刻むが、二代目の墓は家紋を逆さにする。こうして交互に家紋を配するのである。つまり偶数の代は逆さ家紋になる。なぜそうするのかは、今ではよく分からなくなっている。

しかし、考えてみるに、これは単に代が変わるごとに、家紋を逆さに墓に付ける習わしがあるだけで、その逆さ家紋に重要な意味があるわけではないようだ。ところが、その逆さ家紋に意味がありそうな墓に、筆者は香川県丸亀市で出会った。

明治天皇の皇后（昭憲皇太后）の教育係に若江薫子《におこ》という女性がいて、逆さ家紋は彼女の墓で発見した。墓の線香立てに「梅鉢」紋が刻まれていた。その紋が逆さまなのである。

薫子は明治維新、天皇の東京遷都に反対し、文明開化を批判した。つまり、天皇のもとでの復古主義を唱える過激な攘夷論者だった。彼女は四書五経を全部暗記して天才少女といわれ、漢学の素養は群を抜いていた。だが、宮中では浮き上がってしまった。

西洋式軍隊の創設に着手した大村益次郎が暗殺されると、犯人とのつながりが明るみに出て、彼女は捕らえられ、禁固二年の刑を受けた。その後、中央から追放され、丸亀に流れていった。薫子はここで細々と暮らした。女子たちを教育し、いつか中央に復帰することを夢見ていた。

だが、その夢は果たせず、無念のうちに四十七歳で病没したのだった。薫子の悲しみを知る友人たちが、逆さ家紋に無念の気持ちを込めて、墓を残したと思われる。薫子の家系は、菅原道真《みちざね》の流れを汲んでいたといわれる。迫害され、都落ちした悔しさを、薫子自身もまた遠い先祖の道真に重ね合わせていたようだ。

ほかにも、〝恨み〟の紋と呼ばれる家紋が刻まれた墓がある。群馬県高崎市の大信寺にある、徳川の二代将軍、秀忠《ひでただ》の息子・忠長《ただなが》[注19]の墓だ。これには「裏三つ葉葵」が刻まれている。五輪塔の屋根の形をした火輪と、墓の入口の石門扉に見られる。

忠長は母のお江与《えよ》に溺愛された。父の秀忠も嫡子の家光《いえみつ》を差し置いて、次期将軍に忠長を据えようとした。ところが、家光の乳母・春日局《かすがのつぼね》はこれを理

（注19）幼名は国松。長じてのち、駿河、遠江、甲斐、信濃など五十五万石を領有し、駿府城の主となる。駿河大《だい》納言《なごん》と呼ばれた。

不尽として家康に直訴した。家康は家光を将軍に指名した。家光は、弟ながらも忠長を警戒した。秀忠が死に、やがて将軍家光が病気になると、忠長の謀反の噂が流れた。そこで家光は病気が癒えるや、忠長を改易して高崎城に幽閉した。寛永十年（一六三三）、切腹を命じ、十二月六日、忠長は大信寺において二十八歳の命を絶った。

将軍が代替わりし、忠長の三十三回忌に、大信寺では忠長の墓を建立した。だが忠長が罪人だったので、表葵は恐れ多いと裏葵にした。だが裏返しの紋は「裏見」、つまり「恨み」に通じるとされ、徳川の処置を恨んだ紋ということになってしまった。

忠長の恨み紋と世に喧伝されたのは、公儀に圧制され続けた民衆が、忠長に同情し、そう囃《はや》して不満のはけ口にしたからだった。

ところで、江戸中期に尾張藩士が書いた『塩尻』という随筆によれば、徳川将軍家の「三つ葉葵」に関して、家康は次のように命じたとされる。

徳川御三家の尾張藩は「表葉二つ裏葉一つ」、紀州藩は「表葉一つ裏葉二つ」、水戸藩は「裏葉三つ」で「葵」紋を作るように、と。しかし、裏葉は嫌われたのであろう、御三家とも「葵」紋はすべて表葉になっている。

富士山と長寿の願い

江戸時代、朝鮮通信使の申維翰《シンユハン》は富士山を見て「海外の諸山で、富士山に並ぶものはないであろう」と感嘆し、『海游録《かいゆうろく》』の中で、「もし秦の始皇帝が瑯琊台《ろうやだい》でこの光景を得たならば、まさにふたたび滄海《そうかい》に駕《が》して神仙を呼んだであろう」と記した。

秦の始皇帝ほど、不老不死を願った中国の皇帝はいない。六国を討ち滅ぼして、紀元前二二一年、始皇帝は初めて中国を統一した。

彼は絶対の権力を得ると、永遠の命を手に入れたいと考えた。そして、神仙の術を会得した方士に、仙人が持つという、不老不死の薬を国中に求めさせるが、あろうはずはなかった。

しかし、「東の海に蓬莱山《ほうらいさん》を見つけて、薬を持ち帰りましょう」と、徐福《じょふく》という男が名乗り出て、数十隻の大船を編成し、東の海に漕ぎ出し、行方知れずになった。徐福が目指したのは日本であり、蓬莱こそが富士山だという説がある。

始皇帝は不老不死の薬を待ち続けて、ついに五十歳で死んだ。

『竹取物語』では、かぐや姫に月に去られた帝《みかど》が、彼女の置き土産である不死の薬を、彼女がいないのに持っていても仕方がないと、富士山で焼かせた。富士山は不死の薬を焼いた山だから、フジと称され、さらにまた養老山、仙人山などと長寿にちなむ異名でも呼ばれた。

「山」紋は、この富士山に霞や雲を配した美しい家紋である（九四ページを参照）。そして、家紋には長寿を願う紋様が非常に多い。

『竹取物語』では、失恋によって帝が不老不死の薬を焼却してしまう。だが、日本の天皇も、また始皇帝と同様に長寿を渇望した。

その象徴として「菊」紋、つまり十六ヵ弁の天皇紋がある。

歌舞伎の人気で家紋がファッション化

平安末期、武家の世が平家によって始まる。そして鎌倉初期、源氏の天下となる。その頃、家紋になる紋様は写実的で、まだ均整のとれた図案ではなかった。家紋が洗練され、対称的な構図を描くのは、室町末期から戦国時代にかけてである。そこに、様式美も備わってくる。

江戸時代になると、家紋はいっそう洗練されて、瀟《しょう》洒《しゃ》な美しさを備えるようになる。家紋は一目で、どこの大名、旗本なのかを示す名刺のような働きをする。その一方で、着物や帯、小物などの柄にもなって、ファッション化した。それに拍車をかけたのが、歌舞伎であった。

初代・市川団十郎は江戸歌舞伎の華といわれた。その団十郎は元禄時代に演じた「暫《しばらく》」で、圧倒的な人気を博した。

顔に紅の筋隈《すじくま》を入れ、柿色の長素襖《ながすおう》の袖に芯張《しんば》りを入れて大きく固定し、そこに市川家の「三枡《みます》」紋が大きく描かれた。

歌舞伎は当時、庶民にとって最大の娯楽であり、役者はアイドル的な存在だった。歌舞伎役者の付ける家紋は、まさに現代のグッチやプラダといったブランドと同じ意味を持った。

江戸っ子は競って自分の衣服に、贔屓《ひいき》にする役者の家紋を付けたのである。

おそらく、その紋を自分の家の紋にしてしまった者も少なくなかったかと想像する。

太平の世になって、町人層は武士を経済的に凌《しの》ぐようになる。町人文化の発達の中で、商人は武家に伝わった家紋を屋号などに用い、庶民もまた歌舞伎などを通じて、家紋をより身近なものにしたのだった。

市川団十郎の三枡

女形・荻野沢之丞の五三の桐

尾上菊五郎の重ね扇に抱き柏紋（貴人から柏餅を扇に載せて賜った記念紋）

本家と分家……家紋はどう違うのか

現在、われわれが目にする家紋の形は、江戸時代に完成された。

だが、その家紋の形は無制限にあるのではなく、一定の法則に基づいて変化してきた。

まず、同じ家名の者はすべて同じ紋様を使用した。けれども、子孫が増えるにつれ、本家と分家の区別が必要になる。また結婚によって、妻の実家のものが加わる。

そのため、家紋は一族間で変化を余儀なくされるようになる。

だからといって、「桔梗」紋の子供が突然、「菱」紋に変わるというわけではない。

先述したように、桔梗の花びらの形が変わったり、正面から描いていたものを、斜めにしたり、部分だけにしたり、また陰影を逆にするなどという手法によって変わるのである（四六ページを参照）。

こうしたことから、原則的には本家の家紋は単純で、分家になるほど、意匠が複雑になる傾向があった。

そして一族間で差異を明確にするため、紋様が変化する一方で、美的な感覚からも家紋は変化した。

紋様の美しさを引き立たせるために、もともとの紋を輪（円）や角（方形）、そのほか雪輪《ゆきわ》や井桁《いげた》などで囲むようになる。

また、従来の紋に尚武的な意味を込めて、剣をあしらったりした。蔓が樹木などにまとわりついて伸びる特性を、子孫の繁栄に結びつけて、蔓を紋に加えることもした。

PART 3

天皇家のご紋章&源平藤橘《げんぺいとうきつ》の家紋

「菊《きく》」のご紋章

わが国の皇室のエンブレム

　中国に菊慈童《きくじどう》伝説といわれるものがある。菊の露を飲んで、七百歳まで生きたという男の話だ（八四ページを参照）。この伝説と中国渡来の大輪の菊とが結びつき、日本では天皇紋となり、不老不死の象徴的な家紋となった。鎌倉初期の後鳥羽《ごとば》上皇[注20]がこの紋を愛用し、天皇紋として確立した。

　時代は下って明治二年（一八六九）。皇室の紋章として、十六ヵ弁八重表菊が布告された。この紋は天皇、皇后、皇太子、皇太子妃らの公式紋となり、それ以外の使用を禁じられた。また皇族の共通紋として、十四ヵ弁一重裏菊が決められた。

　明治維新まで、公家では水無瀬《みなせ》、広幡《ひろはた》ほか、大名では毛利、木下、伊達、牧野、京極など、高家《こうけ》では喜連川《きつれがわ》、吉良、最上らが拝領紋として菊花紋を用いた。西郷隆盛も菊花紋を賜ったが、恐れ多いとして終生、使用しなかった。

■この家紋を用いているのは……天皇家と各宮家のみ。

十六ヵ弁八重表菊

十四ヵ弁一重裏菊

西郷隆盛下賜紋

（注20）一一八〇～一二三九年。鎌倉時代の一二二一年、承久《じょうきゅう》の乱を起こすが敗北し、隠岐島《おきのしま》に配流された。

「桐《きり》」の紋

豊臣秀吉が皇室から下賜されて愛用

桐は皇室の副紋である。中国の伝説によれば、桐は鳳凰の宿る木であるという。また鳳凰は、聖帝が世に出るのを待って出現する。その桐を紋にしたものだ。花蕾《からい》が中央に五つ、左右に三つある五三の桐、また七つと五つの五七の桐が普通である。

天皇は功績のあった者にこれを下賜されたことから、足利尊氏、織田信長、豊臣秀吉とその一門、また家臣の多くがそれを用いた。徳川家康は桐紋を下賜されたが拒否した。ただ家康の二男で、秀吉の養子となった結城《ゆうき》秀康は、桐紋を使用した。秀吉は桐紋をさまざまにデザインして、愛用した。

姫路城[注21]は池田、本多、松平、榊原、酒井と目まぐるしく城主が変わった。だが、修理された瓦には、桐紋が各時代にわたり使用された。これは従五位以上になると、桐紋を天皇から贈られたためである。

■この家紋は、ほとんどの苗字の家で使用。

五三の桐

太閤桐

（注21）別名を白鷺《しらさぎ》城ともいう。現在の城郭は、慶長六年（一六〇一）から九年の歳月を費やし、池田輝政によって造られた。一九九三年、世界文化遺産に登録されている。

「日月《じつげつ》」の紋

かつては皇室の紋章だった

太陽と月をかたどった紋。古来、太陽を神格化した存在として天照大神《あまてらすおおみかみ》[注22]があり、その子孫とされる天皇は「日の御子《みこ》」と呼ばれた。太陽は農耕に欠かせぬエネルギーである。

また月の満ち欠けは、農事の暦と深く関わる天体現象である。

大宝元年（七〇一）元旦、文武《もんむ》天皇が大極殿《だいごくでん》で朝賀を受けた。この時、日《にち》像幢《ぞうとう》、月像幢《げつぞうとう》といわれる旗が立てられた。その後、日月は皇室の紋章として錦の御旗にも付けられる。

『太平記』によれば、錦の御旗には、日を金で、月を銀で表現したという。

■この家紋を用いているのは、もっぱら渡辺家。

日月

（注22）高天原《たかまがはら》の主神。日の神（太陽神）。伊邪那岐命《いざなぎのみこと》の娘である。皇室の祖神として崇拝されてきた。

「菊水《きくすい》」の紋

楠木正成《くすのきまさしげ》の意気高らか

鎌倉時代の末期、忠烈の臣・楠木正成は、後醍醐天皇のため湊川《みなとがわ》で討死した。その正成の家紋は菊水。菊水紋は、菊水を飲んで長寿を得るという、中国の菊慈童伝説（八四ページを参照）を忠実に図案化した紋だ。

楠木氏は水の神である建水《たけみ》分《わけ》神社の庇護者で、かつ氏子であった。この神社は皇室との関わりも深い。

ちなみに、江戸時代の大名、青山氏の先祖は大納言《だいなごん》・青山師賢《もろかた》である。師賢は後醍醐天皇の笠置《かさぎ》潜幸《せんこう》[注23]にも従い、日月菊花紋の御旗を賜った。だが正成も菊紋を賜ったので、それと区別するため両葉を加えて葉菊とした。

■この家紋を用いているのは……楠木、和田、松平、池田、竹村、内田、橋本、吉川、鈴木などの各家。

菊水

（注23）元弘元年（一三三一）、後醍醐天皇は鎌倉幕府の打倒を目指して、挙兵を図った。ところが事前に計画が発覚し、天皇は笠置山（京都府）に逃れた。これを笠置潜幸という。しかし天皇は捕らえられ、隠岐島に流された。

「竜胆《りんどう》」の紋

平安京の秋を飾った可憐な花

リンドウは平安貴族に愛された、秋の可憐な花。村上源氏の代表紋である。竜胆紋と笹竜胆紋は同じ。ところで源氏は、祖とする天皇の血筋により、清和源氏、嵯峨源氏、村上源氏、宇多源氏などに分かれる。だが、源氏といえば八幡太郎義家の流れで、義朝、頼朝、義経を輩出した、武門の清和源氏の印象が強い。しかし頼朝、義経の清和源氏は笹竜胆紋でないとされる。

後白河法皇の下で、鎌倉幕府打倒の中心人物だった源通親《みちちか》の一族が村上源氏で、公家として発展した。堀川、久我、土御門《つちみかど》、中院《ちゅういん》の四家に分かれ、嫡流で七清華《しちせいが》の一つの久我家から六条、岩倉、千種《ちぐさ》などが生まれた。

この村上源氏では、成人男子は笹竜胆を常用し、年を取ると藤円《ふじまる》の紋様を用いた。それが江戸時代に、源氏の各流に混乱が起きて、他の源氏でも笹竜胆を使う者が増えた。そのため、頼朝、義経もそうされてしまったのである。

■この家紋を用いているのは……久我、六条、久世、石川、池田、木曽、馬場、飯塚、山崎、有馬、宮川、樋口などの各家。

丸に竜胆

六つ花竜胆車

家紋のいろいろ

鞠挟《まりはさ》み紋、琴柱《ことじ》紋

鞠挟みに三星

丸に並び琴柱

蹴鞠《けまり》は貴族の遊び。その鞠の紋もあるが、鞠を挟む用具が、形の妙から好まれた。鞠挟みを外輪にし、花菱、三星などを入れるものもある。

琴柱とは、琴の弦を支える小さな用具。その紋は鎌倉時代からある。こちらも形の面白さから、紋になった。

■この家紋を用いているのは……「鞠挟み」は西尾、佐田、板倉、高橋、壺井などの各家、「琴柱」は秋間、後藤、野呂、佐倉、井戸、橘などの各家。

「鳩《はと》」の紋

源氏の武将たちが好んで使用した

鳩は武神である八幡大菩薩の使い。足利尊氏《あしかがたかうじ》が後醍醐天皇に味方し、京都六波羅《ろくはら》を攻める時、鳩が軍を導き飛んだと『太平記』が描くなど、源氏武将の象徴として軍記物に登場する。元暦五年（一一八八）、源頼朝の奥州平泉の藤原氏攻めの軍旗にも、鳩が描かれていた。また、「鳩に寓生《ほや》」という家紋がある。ちなみに、寓生とは寄生木のことである。

■この家紋を用いているのは……「鳩」は山本、小島、宮崎などの各家、「鳩に寓生」は熊谷、根岸、西村などの各家。

対い鳩

熊谷氏の鳩に寓生

家紋のいろいろ 短冊《たんざく》紋、筆《ふで》紋

短冊に桜

投げ筆

短冊は、花見などの宴で和歌を書く料紙のこと。醍醐の花見は、秀吉一代の盛儀だった。この時、金銀の泥をもって山水花鳥をあしらい、霞を引いた短冊が用いられた。秀吉や淀殿などの手になる一三一葉の、桜の木に結びつけた短冊がいまも残る。

家紋は、短冊に桜を配する優雅な意匠。

筆は車に見立てた筆車が美しい。

■この家紋を用いているのは……「短冊」は出口など、「筆」は鶴田などの各家。

「蝶《ちょう》」の紋

桓武平氏の代表紋となった理由《わけ》

蝶は、いまでは桓武平氏の代表紋とされる。貴族たちは、その美しさから蝶を衣服や調度の紋様として用いた。それが、おおいに流行《はや》った。平清盛の嫡男の重盛《しげもり》は平治の乱[注24]に、蝶の裾金物《すそがなもの》を打った鎧を着用した。また重盛の子・維盛《これもり》は車紋に蝶を用いた。

しかし源平の戦いのころ、まだ家紋は未発達で、蝶が平家の代表紋という認識はなかった。源頼朝も石橋山の戦いで、白銀の蝶丸を鎧に付けていた。ところで、頼朝は清盛に殺されるところを、頼盛《よりもり》（清盛の弟）の母・池禅《いけのぜん》尼《に》に助けられた。頼朝はそれを恩に感じ、平家滅亡後も頼盛を厚遇した。この頼盛の一門・六波羅党が蝶丸《ちょうまる》の紋を用いた。そして、公家となった平家の出の西洞院《にしのとういん》、平松、長谷らの諸家が揚羽蝶を家紋とした。そのため、蝶が平家の全盛時代からの紋と間違われたのだ。

■この家紋を用いているのは……倉橋、松平、大島、逸見、馬場、池田、土方、中川、青木ら多数。

揚羽蝶

池田氏の蝶丸

（注24）源平の争乱。平治元年（一一五九）に起こった。この乱によって源氏は勢力を失い、平氏は全盛期を迎えた。

「藤《ふじ》」の紋

藤原氏の流れを汲む家に多い

王朝時代、よく藤花の宴が天皇や藤原氏の主催で開かれた。貴族は競って藤を衣服の紋様とした。上品な花の美しさに加え、長く伸びて巻きつく蔓性の特質が、家運繁栄の願いに結びつくとして人気の家紋になった。

藤を用いる家は藤原氏の流れを汲む、「藤」の一字が苗字につく家に多い。ただし藤原家の本流は藤ではなく牡丹。江戸時代、藤紋は大名・旗本で実に百七十家もが用いた。

紋様は三枚の葉を十字の枝で結んで、左右から花房を円形に垂らしたものが基本である。歌手・美空ひばり（本名、加藤和枝）の家紋もこの形。ただ、下《さが》り藤は縁起が良くないと、天地を逆にした上《あが》り藤、また藤花を巴にした藤《ふじ》巴《どもえ》もある。ちなみに、山内一豊の妻・千代は夫とは異なる藤巴を使用した。本願寺は西も東も藤紋。西は九条家、東は大谷家の家紋から寺紋となった。

■この家紋を用いているのは……九条、二条、醍醐、鈴木、黒田、大久保、内藤、加藤、斎藤、佐藤、後藤、藤井、藤沢、中村、竹田など多数。

下り藤

上り藤

家紋のいろいろ 目結《めゆい》紋

隅立て四つ目結

くくり染め、しぼり染めで、穴があいたようにできる模様がある。これを「目結」といった。くくり染めはごく初歩的な技法ででき、平安・鎌倉期に流行った。

目結は方形で、真ん中の穴も方形。整然と並んだ方形模様の美しさから家紋になった。

これは近江源氏の代表紋で、佐々木氏は四つ目結である。また日露戦争の爾霊山《にれいさん》（二〇三高地）攻防で有名な乃木《のぎ》希典《まれすけ》将軍も、この紋を用いた。大名・旗本の使用は七十家を超える。

■この家紋を用いているのは……佐々木、京極、六角、朽木《くつき》、山崎、亀井、武藤、松下など多数。

「牡《ぼ》丹《たん》」の紋

高貴な花として権威を誇る

牡丹について『大和本草《やまとほんぞう》』は、「中国では花王と称し、花の富貴なる者とす」という。牡丹は非常に高貴な花として、もてはやされた。それが聖武帝の時に中国から輸入され、宮中でも盛んに賞された。

唐の時代、則天武后《そくてんぶこう》[注25]が宮中の庭に牡丹を移植して、それを愛した。則天武后を理想の人とする聖武帝の皇后・光明子《こうみょうし》は、藤原氏全盛の時代に生まれた。藤原氏出身の光明子が、この花を愛したことは容易に想像できる。そして牡丹は富貴な花ゆえに、藤原氏の中でも、摂関家専用の権威ある紋になったのだ。

戦国時代、津軽為信《ためのぶ》は南部氏から津軽の国を奪い取った。為信は関白家の近衛前久《さきひさ》に金品を贈って、杏葉牡丹の使用を許された。彼はその足で小田原城を攻めている最中の秀吉と面会した。前久の紹介状と牡丹紋の旗の効果は大きく、為信は秀吉から領国安堵の朱印状をもらったのである。

■この家紋を用いているのは……近衛、鷹司、難波《なんば》、島津、伊達、津軽、鍋島、中川などの各家。

近衛牡丹

津軽牡丹

（注25）六二四～七〇五。唐の第三代皇帝＝高宗の皇后。高宗の死後、権力を掌握し、政治をほしいままにした。

「唐花《からばな》」の紋

この世には存在しない植物か

家紋の中で最も美しいのは何かと聞かれたら、おそらくこの唐花を挙げる人がいちばん多いと思われる。家紋の白眉といえよう。

唐花はこの世に存在しない空想の花だ。その紋は唐草紋様とともに中国から日本にもたらされた。正倉院御物《ぎょぶつ》には赤地唐花文錦《あやにしき》などがあり、貴族の装束《しょうぞく》紋様となる中で、和様化して幾何学的になり、公家の有職《ゆうそく》文様[注26]になった。

五つの花びらが普通だが、四つ、六つ、八つのものがあり、剣や蔓を入れるものもある。花びらの先端がさらに突き出ているのが、唐花の特徴である。単独紋のほかに、庵《いおり》、鐶《かん》、窠《か》といった紋を外枠にした合成紋としても用いられる。窠に入るものは、木瓜紋に分類される。花弁が四弁で菱形のものは唐花菱という。唐花はほかの家紋に溶け込んで、紋様の美しさをさらに引き立たせる。

■この家紋を用いているのは……脇屋、寺尾、渋川、伴野、橋本、松尾、木下、船橋、戸田などの各家。

五つ唐花

五つ蔓唐花

（注26）平安時代以降、公家の家格や伝統、位階に相応して、装束や調度に付けた文様。

「連翹《れんぎょう》」の紋

花や蕾が織りなす幾何学的な紋様

レンギョウは中国から来た植物だ。枝はよく伸びて、蔓性をなす。また実は漢方の薬になり、花も美しい。家紋になる要素の多くを満たした落葉低木である。

この紋を連翹襷《だすき》紋ともいう。これは花や蕾を放射状に配列して、幾何学的な紋様として描いたものだ。

おもに、藤原氏公季《きみすえ》から出た公家や武家がこの紋を用いている。

■この家紋を用いているのは……正親町《おうぎまち》三条、姉小路、戸田、千葉などの各家。

連翹

家紋のいろいろ

鐶《かん》紋

六つ鐶

生活用具の中に、職人の美が生きていて、ハッと思わされることがある。鐶は生活の中から生まれた家紋である。簞笥《たんす》や火鉢、また手箱などについた引き手の形の面白さ。それが家紋に転用された。

鐶をいくつも組み合わせると、桜の花びら、桐の葉などに変容する。また四つなり五つなりの鐶を外輪として中に桔梗、巴、木瓜などの紋を入れると、いっそう家紋が引き立つ。

なお、鐶紋は、木瓜紋の外枠を転用したものという説もある。

■この家紋を用いているのは……松波、神尾、堀田などの各家。

「鴛鴦《えんおう》」（おしどり）の紋

仲むつまじい夫婦はこの家紋を使う!?

『日本書紀』に、「オシドリが連れ立って泳いでいる。仲のよかった私の妻を、誰が連れ去ったのか」といった意味の歌がある。

これは、中大兄皇子《なかのおおえのおうじ》（天智天皇）が妻・遠智媛《おうちひめ》の死をひどく悲しんだ時、宮廷歌人が歌い、皇子を慰めたとある。

オシドリは仲むつまじい鳥の代名詞である。姿も美しく、衣装紋様から家紋になった。近衛家が一時使用した。そして、伊達家は狩衣《かりぎぬ》を近衛家から拝領した際、付いていた鴛鴦丸の紋様を替紋にしたのだ。

■この家紋を用いているのは……近衛、伊達、大田などの各家。

向い鴛鴦の丸

家紋のいろいろ

輪違《わちが》い紋

輪違い

二つの輪を交差させた紋。さらに三つ以上の輪をからませたもの、真ん中に唐花を置いた七宝のようなものもある。平安期の流行紋様だ。

天武天皇の孫、長屋王の後裔が高階《たかしな》を名乗った。その後、一族の女が関白・藤原道隆に嫁いで、皇后・定子《ていし》を出すなど隆盛を極めた。この一族が用いたのが輪違い紋。

足利尊氏の側近・高師直《こうのもろなお》は高階一族で、この紋を使った。賤《しず》ヶ岳《たけ》七本槍の一人・脇坂安治《やすはる》は、その武功により秀吉から母衣《ほろ》をもらった。それに輪違い紋がついていたことから、この紋を用いた。

■この家紋を用いているのは……高階、脇坂、畠山、岡田、石川、福島、金田、一柳、大貫などの各家。

「梨花《なしばな》」の紋

公家の三条家がもっぱら用いた

公家・三条氏の独占紋。三条氏は藤原北家[注27]の後裔で、邸宅が京都の三条通りの南にあったことから、それを名乗る。そして太閤秀吉の時代、三条家の記念紋を作った。これは天正十九年（一五九一）に、邸宅が御所の東の梨木《なしのき》町に移ったため、地名から梨の花を紋にしたのだ。

幕末、尊攘派の中心人物、三条実美《さねとみ》は公武合体派[注28]に敗れて、他の公家六人と都を追われた。その際、家紋と地名にちなみ、梨木誠斎《せいさい》と名を変えて長州に落ちのびた。

三条家の梨花

（注27）藤原氏は鎌足《かまたり》の子・不比等《ふひと》の子供の代に、四家に分かれた。それは南家、北家、式家、京家である。この中で最も勢力があったのが北家だ。平安期には道長が出て、一世を風靡する勢いであった。

（注28）幕末において、公家（朝廷）と武家（幕府）の提携による政局の安定を主張した陣営。孝明天皇の妹・和宮《かずのみや》の将軍・徳川家茂《いえもち》への降嫁は、その政策の一つであった。

「橘《たちばな》」の紋

不老不死、エターナルな繁栄を表わす

橘は不老不死の国から持ち帰られた木、と伝えられる。そして、永久の繁栄をもたらすとされた。別名を常世物《とこよもの》という。万葉歌人の大伴家持《やかもち》は、「常世ものこの橘のいや照りに　わが大君は今も見るごと」（常世国から来た橘のように、わが大君、すなわち元正上皇もいつまでもお栄えになる）と歌う。その橘の葉と実をかたどったものが、橘紋である。

万葉人は手折った橘の枝を髪にかざした。また、徳川幕府の重鎮＝井伊家の家紋は橘である。日蓮が出たことから、日蓮宗もこの紋。幕臣の九十余家が使用していた。

■この家紋を用いているのは……橘、井伊、野尻、牧、楠、和田、富田、佐藤、小野、深津、辻など多数。

橘

「山吹《やまぶき》」の紋

橘系の氏族、その末裔が使用

ヤマブキは川沿いの谷などに自生する黄色い花。奈良時代の政治家、橘諸《もろ》兄《え》[注29]が隠棲した山城の井手の里は、川べりに咲く山吹が美しかった。これを諸兄が愛したことから、橘氏の子孫は橘とともに山吹を家紋とした。水にちなみ、菊水紋のように、花の下半分が水の流れに隠れるデザインが主流である。

■この家紋を用いているのは……橘、花田、山脇、岡本、八束《やつか》などの各家。

杏葉山吹

(注29) 六八四~七五八年。母は県犬養《あがたいぬかい》橘三千代《たちばなのみちよ》(一八九ページを参照)。和銅三年(七一〇)、二十六歳で従五位下となる。それ以降、順調に昇格を重ね、天平十年(七三八)、正三位右大臣となる。唐から帰国した僧・玄昉や吉備真備《きびのまきび》をブレーンとして、藤原氏に代わって、権力を掌握した。

その後、盧遮那《るしゃな》大仏(のちの東大寺の大仏)の鋳造を開始した。だが、その頃から次第に勢力を失い、大臣を辞任した。

◎本書をお買い上げいただき、誠にありがとうございました。
質問にお答えいただけたら幸いです。

◆知識ゼロからの「日本の家紋」入門をお求めになった動機は？
① 書店で見て ② 新聞で見て ③ 雑誌で見て
④ 案内書を見て ⑤ 知人にすすめられて
⑥ プレゼントされて ⑦ その他（ ）

◆本書のご感想をお書きください。

今後、弊社のご案内をお送りしてもよろしいですか。

（ はい・いいえ ）

ご記入いただきました個人情報については、許可なく他の目的で使用することはありません。

ご協力ありがとうございました。

郵便はがき

お手数ですが、
50円切手を
おはりください。

151-0051

東京都渋谷区千駄ヶ谷4-9-7

(株) 幻冬舎

知識ゼロからの
「日本の家紋」入門 係行

ご住所 〒□□□-□□□□ Tel.(　　-　　-　　) Fax.(　　-　　-　　)		
お名前	ご職業	男
	生年月日　　年　月　日	女
eメールアドレス：		
購読している新聞	購読している雑誌	お好きな作家

日本《やまと》武《たける》尊《のみこと》を偲ぶ家紋

神社に掲げられる紋を神紋という。これには、家紋とは異なる性質のものがある。日本神話と関わるものが多いのが、神紋の特徴といえる。

古代最大の英雄といえば、日本武尊である。九州で熊襲《くまそ》を平らげた武尊は、父・景行《けいこう》天皇の命により東国の制圧に向かう。現在の東京湾である走水《はしりみず》の海（浦賀水道）では、海が荒れて、妻の弟橘媛《おとたちばなひめ》が海神の人身御供になるため入水した。波間に消えた彼女の形見の櫛《くし》が、上総《かずさ》（千葉県）側に流れつく。

茂原《もばら》市にある弟橘媛を祭神とする橘樹《たちばな》神社は、「橘」紋を神紋としている。これは、武尊が彼女の御陵《みささぎ》を築き、流れついた櫛を収めて、二株の橘を植えて祀った故事によっている。また弟橘媛の入水を哀れんで、波で彼女の悲劇を表現する一方、武尊の武勇を剣で表現して、剣を波で包む神紋が、苕野《くさの》神社（福島県浪江町）にある。

浅木神社の白鳥紋

武尊は近江の伊吹山で神の怒りに触れ、重病に陥って死ぬ。すると、魂は白鳥に化身する。名古屋市の熱田神宮など数ヵ所に白鳥御陵《しらとりごりょう》がある。また、福岡県遠《おん》賀《が》町の熊襲討伐ゆかりの地に、武尊を祀る浅木神社があり、「白鳥」紋を神紋とする。この「白鳥」を家紋として用いたのは、大坂の陣で有名な片桐且元《かつもと》の弟で、一時、下条と称した片桐氏だけである。「白鳥」紋は家紋として成長するに至らなかったのだ。

「白鳥」紋は、日本武尊の御霊を祀る神社にふさわしい紋様である。だが、言葉を話せない垂仁《すいにん》天皇の皇子・誉津別《ほつわけ》王が、献上された白鳥と戯れることによって言語を得る話があるように、白鳥は人間の魂の部分に関わる霊鳥であった。

そのために、瑞鳥の鶴と飛ぶ姿が似て美しくもあるが、家紋としては敬遠された。「白鳥」紋は神紋と家紋の違いを示す、代表的な紋様といえる。

永遠の命を夢見た天皇たち

桓武《かんむ》天皇は延暦《えんりやく》十三年（七九四）に都を平安京に移した。桓武とその子の嵯峨《さが》、淳和《じゅんな》の兄弟、また嵯峨の子の仁明《にんみょう》、この親・子・孫の三世代の天皇は、不老不死への憧れを抱き、常世の国に行ったとされる浦嶋子《うらしまのこ》（浦島太郎）を実在の人と信じて尊敬した。

日本は当時、仏教が主流だった。だが、仏教よりも道教の方が、先に中国から伝わっていた。この道教は神仙を理想とし、不老不死の命を得るため、人間は医術を行ない、呪術を修行すべきであるというものだった。ちなみに「天皇」という呼び名は、道教から来た言葉である。宇宙の最高神である天上世界の神を指す。また七五三の祝いも、子供の成長段階で病気などの悪魔を払う道教思想から生まれた風習である。

不老不死という考えに心酔した桓武天皇らは、『日本紀略』によれば、延暦十六年（七九七）十月十一日に曲宴《きょくえん》（宮中の宴会）を開いて、酒を楽しんだ。桓武天皇は「この頃のしぐれの雨に菊の花　散りぞしぬべきあたらその香」と歌った。この菊とは大輪の菊で、桓武天皇の時代に初めて中国から日本に入って来たとされる。それまでの日本には、小菊の類しかなかった。中国渡来の大輪の菊を酒に浮かべて飲むと、不老長寿の薬になると信じられ、桓武天皇はこの菊の花を愛した。

菊は翁草《おきなぐさ》とも言われ、長寿をもたらす花という菊慈童の伝承が、美しい大輪の花と一緒に中国からもたらされた。この伝承は、甘谷《かんこく》という地の菊水、つまり咲き競う菊花についた露が落ちた水を飲んで、菊慈童は七百歳まで生きたというものである。このことから、大輪の菊は長生きの妙薬とされ、菊の花を酒に浮かべて飲む菊花酒を、桓武以降の天皇は好んだのである。

その子、嵯峨天皇もまた菊花を仙薬として重視し、「神仙の霊薬を愛《め》で喜び、俗世間の世情を忘る」という漢詩を詠んでいる。

ところで、菊を妙薬としたことはよいが、不老不死に取りつかれた淳和、仁明の両天皇の場合は、中国で霊薬といわれた金丹《きんたん》（水銀）を服用して、命を縮める結果となった。

PART 4

戦国乱世の英雄&豪傑にゆかりの家紋

「引両《ひきりょう》」の紋

すわ合戦！ 武将の陣幕の模様に由来

千鹿野茂編『家紋でたどるあなたの家系』によれば、江戸時代には三百五十余家の大名・旗本が引両の紋を用いたという。

鎌倉時代、武家社会の到来とともに、一引両は新田氏、二引両は足利氏、三引両は三浦氏が用い、それぞれの一族に相伝され、広まった。

引両は陣地を囲む陣幕に由来する。白地に紺もしくは黒で、横線を染めたのだ。その数によって、一～八引両まであるが、中心は一～三引両である。

なぜこの紋を引両と呼ぶのか、また何を意味するのかは、必ずしも明確ではない。

引両とは、単に線を引いたものに過ぎないという説がある。さらにまた、引両とは「引霊」のことで、日精《にっせい》（太陽の精）、月精《げっせい》（月の精）を霊と呼び、一引両は太陽を、二引両は月を表わすという説もある。現在、いちばん有力とされるのは、両は竜を意味し、中国の占い書『周易《しゅうえき》』に由来するというもの。ちなみに『寛政重修諸家譜《かんせいちょうしゅうしょかふ》』（一一一ページを参照）には「引竜」の文字が使われている。

両が竜であることを示す逸話が、足利氏の家臣・赤松家に残っている。赤松円心《えんしん》・則祐《のりすけ》父子は元弘三年（一三三三）、北条軍との戦いに敗れ、もはや

家紋のいろいろ

左記は、主な戦国武将の家紋一覧である。

織田信長	木瓜《もっこう》紋、揚羽蝶紋
豊臣秀吉	桐紋
徳川家康	葵紋
武田信玄	割菱紋
上杉謙信	竹に対《むか》い雀紋
北条早雲	三つ鱗《うろこ》紋
斎藤道三	波紋、撫子《なでしこ》紋
今川義元	桐紋、赤鳥紋
明智光秀	桔梗紋
柴田勝家	二つ雁金《かりがね》
佐々成政	棕櫚《しゅろ》紋
佐久間盛政	三引両
前田利家	梅鉢紋
丹羽長秀	筋違《すじか》い紋
加藤清正	蛇の目紋、桔梗紋
福島正則	沢瀉《おもだか》紋
蜂須賀正勝	卍紋
堀　秀政	釘抜紋
南部信直	対い鶴に九曜紋
津軽為信	牡丹紋、卍紋
伊達政宗	竹に対い雀紋、竪三引両
蒲生氏郷	鶴丸紋、三つ頭左巴紋

自害するのみと覚悟した。父子は石清水《いわしみず》八幡宮の方角に向かって手を合わせた。

すると「北条の旗は鱗で、赤松は左巴、ともに水を意味して勝負なし。左巴に大竜を加えるべし」とお告げがあった。彼らはその通りに戦い、奇跡的な勝利を得た。その大竜なるものを紋に表わし、「二引両に左巴」が赤松家の紋となったのである。

伊達政宗の霊廟《れいびょう》には、竪《たて》三引両が用いられている。伊達家では頼朝から下賜されたという。

また山名氏は新田氏の分かれで、もとは一引両だった。ところが、足利氏との縁戚関係から、元弘《げんこう》の乱（一三三一）では新田氏を敵とした。この時、同じ紋では戦えぬと、一引両に二本を足し、三引両にして戦ったといわれる。

■この家紋を用いているのは……「一引両」は新田、酒井、村山、若松、井坂、「二引両」は足利、今川、一色、青木、石井、荻野、織田、佐藤、小林、佐原、瀬名、畠山、最上、「三引両」は三浦、佐久間、奥山、朝比奈、長谷川、伊達、和田など多数。

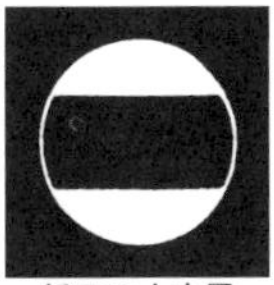
新田の大中黒

折敷に二引両

丸に二引

丸に三引

丸に竪三引

佐竹義宣	五本骨の扇に月紋
黒田孝高	藤巴紋
高山右近	久留子《くるす》紋
脇坂安治	輪違い紋
滝川一益	花筏《はないかだ》紋、丸に竪木瓜紋
池田輝政	揚羽蝶紋
細川忠興	九曜紋
山内一豊	三つ柏紋、白黒一文字紋
加藤嘉明	下り藤紋
藤堂高虎	蔦《つた》紋
石田三成	大一大万大吉紋
真田幸村	六文銭紋
毛利元就	一文字三星紋
長宗我部元親	酢漿草《かたばみ》紋
大友宗麟	杏葉《ぎょうよう》紋
鍋島直茂	杏葉紋
島津義弘	丸に十字紋
本多忠勝	三本立葵紋
井伊直政	橘紋、井桁紋

「鷹《たか》」の紋

天翔《あまか》ける鷹は武威を表わす

仁徳《にんとく》天皇が鷹を使って雉《きじ》を捕ったのに始まり、平安時代の各天皇は鷹狩りを好んだ。鷹司《たかつかさ》という役職が置かれ、狩場は禁野《きんや》、標野《しめの》として保護され、鷹狩りは身分・特権を象徴するものとなった。

戦国時代も、織田信長をはじめ多くの武将たちが、敵情視察、また領地の検分を兼ねて、鷹狩りをよくした。特に家康は晩年、趣味に加え、体力づくりのために、鷹狩り三昧の生活をした。

さらに鷹は、その獰猛《どうもう》な性格から、武威を誇るにはもってこいのシンボルである。そして、家紋にうってつけであった。鷹紋としては、架につないだ鷹などを写実的に描くものが多い。しかしこの紋の特徴は、羽そのもので鷹全体を象徴する、家紋独特の表現がなされることだ。

江戸時代には、百家を超える大名・旗本が鷹の羽紋を用いていた。

■この家紋を用いているのは……「鷹」は長谷川、原などの各家、「羽」は松平、菊池、久世、阿部、浅野、小野、荻野、高木、井上など多数。

鷹の丸

丸に違い鷹の羽

家紋のいろいろ

源氏《げんじ》香図《こうず》紋

源氏香図の花散里

貴族が好んだ「香合わせ」の遊びを家紋にしたものだ。日本文化の優雅さを示して、興をそそる。もちろん、香りそのものは家紋にできない。そこで源氏香図紋といって、組み合わせの符号で示した。

香合わせとは、五種の香りを一種五包ずつ計二十五包を作り、これを混ぜ合わせたのち、その中の五種を炊いて、香りを当てるというもの。その符号を『源氏物語』五十四帖にちなみ、「源氏香」といった。香の種類は、五本の縦線に横線を組み合わせることで表わした。それを紋としたのである。

■この家紋を用いているのは……佐竹、竹本、高木、佐々、堀田などの各家。

「雁《かり》」の紋

鳥が飛び立つのは伏兵を告げ示す

永保《えいほう》三年（一〇八三）、後三年の役で、源義家は金沢柵《かなざわのさく》（秋田県横手市）を攻めた。この時、空を行く雁の行列の乱れによって、敵の伏兵がいることを察知した。[注30]

その後、義家は戦いに勝った。雁は源氏にとって、縁起のいい鳥となった。だから、頼朝は治承《ちしょう》の挙兵[注31]の折り、土佐坊昌俊に結び雁の旗を与えている。

雁行に季節と風情を感じた昔の人は、雁の意匠を家紋に取り入れ、家紋の美しさをより高めた。ちなみに、この紋を使うのは、信州の人に多い。戦国武将の一人、柴田勝家の紋でもある。

柴田勝家の二つ雁金

■この家紋を用いているのは……滋野《しげの》、真田、海野《うんの》、井上、赤井、山口、上林、柴田、花房などの各家。

（注30）孫子の兵法にいわく。「鳥立ツハ、伏ナリ」と。義家は、孫子の兵法に精通していたのであろうか。

（注31）治承四年（一一八〇）、後白河上皇の次男・以仁王《もちひとおう》が平氏追討の令旨《りょうじ》を発した。これに呼応して、源頼朝は伊豆で兵を挙げた。だが石橋山の戦いに敗れ、一時、安房《あわ》に逃れたのである。

「弓矢《ゆみや》」の紋

「武」の象徴、「軍事力」のシンボル

弓矢は武士の象徴である。弓矢で八幡大菩薩[注32]を表現する。

この弓矢は、儀式の道具や呪具としても用いられた。『平家物語』には、清盛の娘・徳子《とくこ》が安徳天皇を産んだ時、魔除けの法として、桑の弓に蓬《よもぎ》の矢をつがえて天地四方を射させたとある。

弓矢紋は、武威に呪術の意味も含む。弓紋は弓づくりを職とした弓削《ゆげ》氏出身の蜷川《にながわ》、平岩氏が用いる。家紋としては射る弓よりも、飛んでいって相手を倒す矢に人気があった。

矢は鏃《やじり》、矢柄《やがら》、矢羽《やばね》、矢筈《やはず》の四つの部分からなる。紋としては全体をデザインせず、部分を取り上げる。矢羽が中心だが、家紋で人気のある鷹の羽紋は、実はこの矢羽に鷹の羽を用いたものである。また、弓の弦を受ける矢の上端を矢筈という。M字形の紋様として家紋の一角をなす。

■この家紋を用いているのは……「弓」は蜷川、平岩などの各家、「矢」は服部、荒川、太田、丹羽などの各家、「矢筈」は服部、上田、団、大岩、斎藤などの各家。

並び矢

並び矢筈

切竹矢筈十字

（注32）八幡神の尊称である。古来、弓矢の神として、武人にひろく信仰されてきた。

「三星《みつぼし》」の紋

銀河系の巨星への想い入れ

オリオン座の中央に輝く星を家紋にしたもの。中国では、この三つの星は将軍星と呼ばれる。大将軍星、左将軍星、右将軍星からなり、武神と崇《あが》められた。

　三星は、単なる丸を三つ配しただけの紋。平安期の衣服の紋様から起こった。この紋の上に一文字をつけたものを一文字三星といい、下に一文字がついたものを三星一文字という。「一」の文字は「かつ」と呼んで、「勝つ」に通じるため、武士として縁起がいい数だった。また白抜きの黒餅《こくもち》（一六八ページを参照）と組み合わせたり、三星を逆において、剣を三本はさむ剣三星もある。剣や黒餅との組み合わせも、武威をさらに高める意味を持つ。

　一文字三星は大江広元を先祖とする毛利一族が用いた。三星一文字は渡辺氏の代表紋で、渡辺氏が繁栄した地域に使用家が多い。

■この家紋を用いているのは……毛利、永井、岩田、吉川、渡辺、広井、松浦、児島、小島、岩尾、岡田、柴山、野村、土井、西、山田、高山、佐々木、三宅、栗本、吉井、小野など多数。

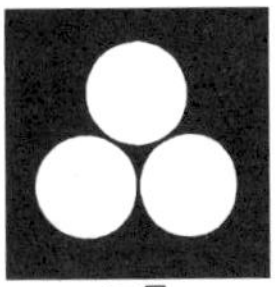

三星

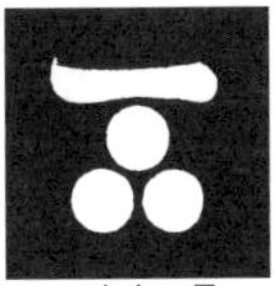

一文字三星

「軍配団扇《ぐんばいうちわ》」の紋

戦神《いくさがみ》の摩利支天《まりしてん》が征《ゆ》く

相撲の行司が手にする軍配団扇は、武将の必需品だった。軍配を持つ武田信玄の画像が有名。軍配には太陽の光を受け止め、自分の力に変えるという意味がある。また軍配で陣配置、進退の日、方向などを占い、軍を統率した。

軍配団扇は、中国から渡来したものだ。軍神の摩利支天[注33]の持ち物でもある。だから軍配団扇の家紋は、宗教紋の性格も持つ。

この紋は源平合戦時、武蔵七党[注34]の一つ、児玉党がこの家紋を使用した。鶴亀松竹など吉兆紋様を絵柄にするものが多い。

■この家紋を用いているのは……奥平、久下、児玉、中島、小幡、吉野、三雲、近藤などの各家。

軍配団扇に松

（注33）もともとインドの神で、日月の光や陽炎《かげろう》を神格化したもの。日本では、武士の守り本尊とされた。

（注34）十世紀から十一世紀ごろ、武蔵国に発生した地方武士団。いずれも源頼義や義家を棟梁とし、源氏の家人《けにん》となる。村山・横山・猪俣《いのまた》・児玉・丹《たん》治《じ》・西・野与《のよ》（これに代わって私市《きさい》）の七党があったので、七党の名ができた。同族的な結合を持ち、戦場では小集団もこれらの党の一つに加わり、団結して戦った。（丹羽基二氏の著作、『地名と苗字の謎』＝幻冬舎より）

「百足《むかで》」の紋

毘沙門天《びしゃもんてん》の使いとして尊重される

武田信玄の近習《きんじゅう》衆に、ムカデ差物《さしもの》衆なるものがいた。彼らは赤地に黒色で、頭を下に、尾を上にした百足を描いた旗を持って戦った。『甲陽軍鑑』[注35]に「御陣の時、御使いたすは、大方ムカデの差物衆也」とあり、敵軍に赴く軍使という重要任務をも負っていた。

ムカデは見た目に気持ちが悪く、しかも毒爪《どくそう》を持つが、武神・毘沙門天（多聞《たもん》天）[注36]の使いとされ、その武威によって家紋となった。またムカデは足が多く、歩くのが早いので、商人や役者は出足がよいことを望み、縁起紋として用いた。

ちなみに、信玄の宿敵、上杉謙信は、毘沙門天を崇敬していたという。

■この家紋を用いているのは……日戸、宮、本橋、白石などの各家。

百足の丸

（注35）甲州流の軍学書。江戸初期の慶長・元和年間に成立。武田信玄・勝頼二代の事蹟や軍法を中心に記述されている。

（注36）四天王の一つ。甲冑《かっちゅう》を着けた武将の姿で表わされ、片手に宝塔を捧げ、片手に鉾《ほこ》または宝棒を持つ。

「山《やま》」の紋

ルーツは『孫子』の兵法にあり

孫子の兵法に曰く、「動かざること山の如し」と。[注37]

山は、その不動の姿で、人々の心を引きつけてきた。但し、富士山に霞紋は、また異なった意味がある（九七ページを参照）。

山をいくつか表現する場合は、頂上を中心に、三つなり五つの山を置く。山形は、基本的には三角形で表わす。

また山道紋という家紋がある。これは福島正則の旗印で、縦に二本の曲線で道を表現する。

■この家紋を用いているのは……「山」は吉田、池田など、「山形」は山角、林田、近藤など、「山道」は馬場などの各家。

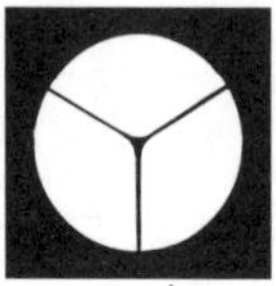
三つ山

（注37）孫子の兵法の一説には「疾《はや》きこと風の如く、徐《しず》かなること林の如く、侵掠《しんりゃく》すること火の如く、動かざること山の如し……」とある。武田信玄はこの一節から「風林火山」の四文字を取って、旗印とした。

「木瓜《もっこう》」の紋

不世出の英雄、織田信長の家紋

木瓜紋は、キュウリ（木瓜）をスパッと包丁で切った断面にそっくりである。一説には、その断面の美しさから、この呼称がついたという。だが、そうではなく、神社の御神体の前に掛けられた御簾《みす》の紋に由来するとの見方が根強い。御簾の両端に絹布の縁があって、「帽額《もこう》」といった。帽額の音が変化して、木瓜となったというのだ。

木瓜紋を最初に用いたのは、奈良時代の日下部《くさかべ》氏だ。日下部氏は、中大兄皇子の策謀にはまり処刑された有馬皇子の子孫である。その一族の朝倉、朝来《あさご》、太田垣、八木などが、この紋を用いた。

木瓜は信長の紋としても有名だ。越前守護代だった朝倉氏から、地元の豪族だった織田氏が拝領したという。また古代豪族の紀氏《きのし》も木瓜紋だ。紀氏から京都八坂神社[注38]の神官が出たため祇園祭[注39]の山鉾にも木瓜紋が描かれている。

江戸時代、この紋を用いた大名・旗本は百六十家余りに及ぶ。

■この家紋を用いているのは……伴、田中、中川、岸、津田、有馬、伊藤、竹内、牧など多数。

織田家の木瓜

三盛木瓜

（注38）京都市東山区に鎮座する神社だ。創祀は平安時代。祭神は須佐之男命《すさのおのみこと》、櫛稲田姫命《くしなだひめのみこと》、八柱御子神《やはしらみこのかみ》の三柱である。

（注39）八坂神社の祭礼。祇園会《ぎおんえ》ともいう。陰暦六月七日から十四日まで（現在は七月一日から二十九日まで）行なわれる。その始まりは天禄《てんろく》元年（九七〇）とか。一説には、さらに古く、貞観《じょうがん》十八年（八七六）ともいわれている。

「菱《ひし》」の紋

信玄の行くところ、「武田菱」あり

ヒシは池沼などに自生し、菱形の葉を水面に浮かせる植物である。だが、家紋の菱は植物のヒシを超越して、四辺の長さが互いに相等しい斜方形の紋様として発達した。そこから、さまざまな菱紋・唐花菱《からはなびし》紋が生まれた。

甲斐の武田氏では、先祖伝来の家宝、楯無《たてなし》の鎧[注40]に唐花菱が付く。これは、四つの割菱を四花弁の唐花で描く。信玄は馬印にも、赤地に黒色で武田菱を縦に三つ重ねにしたものを用いた。

また信濃守護の小笠原氏は同じ菱紋だが、三階菱といって、三つの菱を三層に重ねる。この三階菱、上に行くほど菱は小さくなる。三菱グループの社章のもとは、この三階菱である。

百済王の子孫という大内氏の唐花菱は、四つ割菱の真ん中に四弁の唐花を大きく入れる美しいデザインで、「大内菱」と呼ばれる。

江戸時代、菱・唐花菱紋を使用した大名・旗本は実に四百四十家に及ぶ。

■この家紋を用いている家は多く、苗字は省略。

武田菱

三階菱

大内菱

（注40）楯を必要としない堅固な鎧。武田氏の滅亡後は、山梨県塩山《えんざん》市の菅《すが》田《た》天神社に伝存されている。

「団子《だんご》」の紋

本当は何を意味するのか

またの名を串団子紋という。さぞ甘くておいしい団子が描かれた紋と思いがちだが、それは間違いである。戦いの世に生まれたこの紋に描かれた団子とは、ずばり敵の首級のこと。

信長は今川義元との桶狭間《おけはざま》の戦いを前にして、家臣の野々村幸政に、三つ串団子を与え、「このごとく敵首を取れ」と励ました。幸政は、その通りの手柄を立てたため、三つ串団子紋を拝領した。また黒田氏の家臣・加来《かく》氏も四つ首をとって四つ串団子紋をもらった。

■この家紋を用いているのは……伏屋、上田、中山、定原、加来などの各家。

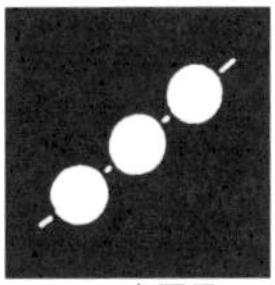
三つ串団子

家紋のいろいろ

霞《かすみ》紋

富士山に霞

日本は山紫水明の国である。その日本の風景に、霞はいっそうの美しさを添えてくれる。霞は形あるものとして捉えられない。花鳥風月を愛でる日本人の感性は、その霞の姿を見事な紋様に仕立て上げた。

霞紋は、単独よりも山と組み合わせると、美しい紋になる。青木氏の紋は、富士山にかかる霞。尚美的な霞の紋様に富士の不老不死の性格が加味され、大きな意味を持つ。能役者の喜多氏の紋も、「王」の真ん中の横棒を長くした形で、霞を表わしている。

■この家紋を用いているのは……一宮、綱島、青木などの各家。

「波《なみ》」の紋

なぜ武将に好まれたのか

この紋は、波の力強さを感じさせ、武将の心に兵法の妙を植えつけた。斎藤道三は二頭立波紋を考案し、自分の紋とした。二頭波が行く前方に二つ、後方に三つの飛沫を描く。

波頭は合戦の駆け引きを表わす。飛沫は、世間には割り切れることと割り切れないことがあるという、ものの道理を示す。

山内一豊も「波」紋を愛した。「波」紋には波間を飛ぶ千鳥や燕《つばめ》、波間を走る兎の図案もあり、こちらは尚美紋といえる。

■この家紋を用いているのは……小栗、渡辺、曽我、島崎、大木、平井、北山、松田、河野などの各家。

斎藤道三の波

家紋のいろいろ

筋違《すじか》い紋

筋違い

「直違い」とも書き、「違棒《ちがいぼう》紋」ともいう。二本の直線を交差させて×印にした、紋様といえそうもない単純明快な構図である。あまりにシンプルすぎて、この紋がどんな意味を持つのかよく分からない。

これを家紋とした武将に、丹羽氏がある。丹羽長秀が武功を立てた戦場で、刀についた血を拭うと、筋違いのような跡がついた。長秀は秀吉から、それを紋にせよと言われ、定紋としたという逸話がある。

■この家紋を用いているのは……丹羽、波多野、松田、宮寺などの各家。

「日《ひ》の丸《まる》」の紋

太陽は農耕神の中で最高の存在

弥生以降の日本においては、稲作が食糧の基本となっていた。当時、太陽は農耕神の最高峰に置かれていた。戦国武将たちは、そんな太陽のエネルギーを自分のものにし、勝利を得ようとした。彼らはこぞって日の丸紋を軍扇に描き、また旗に用いたのである。『関ヶ原合戦図屏風』（彦根・井伊家蔵）を見ると、日の丸の旗指物のオンパレードだ。東軍は、まず家康が本陣に、金地に日の丸の大扇を掲げる。その周りに、日の丸が乱立する。井伊軍団の赤備え[注41]に対して、徳川四天王の一人、酒井忠次の子息・家次の部隊の旗指物には、日の丸が大きく描かれている。

一方、白地に朱丸を二つ、もしくは三つ付けた「朱団子」といわれる日の丸の旗が、西軍の陣営のそこかしこになびく。西軍の一人、小西行長《ゆきなが》の旗印は日の丸だった。また関東では、上杉景勝軍が紺地に金の日の丸を掲げて西上していた。そして、家康の子・結城秀康がこれを阻止しようとする。その秀康も、やはり日の丸の旗印だった。

春日局は後に大奥の支配者となる。彼女の父は斎藤利三《としみつ》といって、明智光秀の重臣だった。この利三は本能寺の変の首謀者の一人として、京都で磔《はりつけ》にされた。彼の家紋は、太陽に雲をあしらった日紋である。

（注41）井伊直政が率いる部隊は、士卒がみんな一様に赤い具足を着用した。

春日局は三代将軍となる家光の乳母から出世した。だが、家光の産衣《うぶぎ》には父方の紋である日紋は用いなかった。母方である稲葉家の「折敷《おしき》に三文字」紋を縫い込んだのだ（一二六ページを参照）。

その後、日の丸は海賊船や密貿易船と区別するため、朱印船に掲げられた。寛永十一年（一六三四）、徳川幕府は日の丸を公儀《こうぎ》の船であることを示す官章とした。そして幕末の嘉永《かえい》六年（一八五三）、ペリーの黒船が来航する。鎖国政策が揺らぐ中、日本も国名を示す総船印が必要となる。翌年、幕府は白地に日の丸を制定した。これが事実上の日本の国旗になった。

ところが戊辰《ぼしん》戦争では、会津若松城や箱館五稜郭《ごりょうかく》に日の丸が翻《ひるがえ》り、賊軍の旗となる。このため明治新政府は、日の丸を国旗とすることを嫌い、十六ヵ弁の菊紋（天皇紋）に変えようとした。けれども、世界はすでに日の丸を日本の旗として認知していた。変更するのは国際社会の仲間入りをしようとする矢先、外交上好ましくないとして、日の丸をしぶしぶ認めたのであった。

■この家紋を用いているのは……美濃の斎藤、土佐の深尾、望月、天野、比留などの各家。

日の丸

旭光

「日《ひ》足《あし》」の紋

なぜ佐賀藩鍋島家の家紋となったのか

太陽だけでは紋様になりにくい。そこで、太陽の周りに光をあしらって、「日足」と名付けた。この光の形には、先端が尖ったものと、平らなものとがある。

秀吉の北政所《きたのまんどころ》おねの実家は、木下家である。木下家からは、備中足守《びっちゅうあしもり》藩二万五千石と豊後《ぶんご》日出《ひじ》藩三万石の二家が大名となった。

このうち足守藩は、秀吉が天皇から拝領した菊紋と桐紋を改めてもらった。だが菊紋は恐れ多いとして、花芯部分を三巴紋にし、十六ヵ弁を日足に変えて使用した。

また肥前（佐賀県）の竜造寺氏は、十二の足を持つ日足紋を家紋とした。

戦国時代、この竜造寺本家の娘として慶誾尼《けいぎんに》という女性が現われた。彼女は息子の隆信に後ろ盾が欲しくて、家臣である鍋島清房の息子、直茂に目を付けた。そこで自ら強引に清房の妻となって、隆信と直茂の二人を兄弟にしてしまう。

直茂は竜造寺家によく仕えた。けれども、隆信は肥前の島原で島津・有馬連合軍に敗れて、討ち死にしてしまう。すると、慶誾尼は竜造寺の家督を直茂に譲り、日足紋は鍋島氏の紋となったのである。

家紋のいろいろ

井桁《いげた》紋、井筒《いづつ》紋

井桁

苗字に「井」のつく家のほとんどが、この紋を使う。井桁の形から「井」の漢字が生まれたとされ、漢字と一体となった家紋といえる。

井桁、または井筒は、井戸の地上部に出た木枠をいう。水は命の源であり、井戸に湧く清水は神聖で、幸いを招くとされた。

井伊氏の発祥は遠江《とおとうみ》国の井伊谷である。その井伊谷八幡にあった橘の木のそばの御手洗《みたらい》井で発見された赤子が、井伊氏の先祖だという伝説がある。そこで、井伊氏は井桁を旗幕の紋に、橘を家紋にしたといわれる。

■この家紋を用いているのは……井伊、酒井、今井、神田、新井、清水、井上などの各家。

ちなみに、晩年の隆信はすこぶる肥満していた。そのため馬に乗れず、六人がかりで担ぐ駕籠か、あるいは戸板に乗って」戦闘を指揮していたという。

■この家紋を用いているのは……竜造寺、鍋島、木下、草野、伴野、勝屋、中島などの各家。

木下日足

龍造寺・鍋島の十二日足

「葵《あおい》」の紋

如何なるドラマが秘められているのか

徳川将軍家の葵紋は、多くの性格を持つ。だが、もとを糾《ただ》せば宗教紋である。

神話の時代には、天神である別雷命《わけいかづちのみこと》が京都の地を支配していた。その別雷命が天に帰る際、「自分に逢いたければ、鉾《ほこ》や榊《さかき》とともに、葵を飾れ」と命じた。そこから、葵は別雷命とその一族を祀る賀茂神社の霊草となり、神紋となった。

葵祭では、神社の周囲に自生するフタバアオイで冠や牛車《ぎっしゃ》を飾った。王朝の昔、瑞々しい葵を頭に付けることで、いつまでも変わらぬ若さを得られると信じられた。この点で葵紋は、不老不死紋の性格も有する。

古くは、丹波の西田氏が葵を家紋とした。丹波は別雷命の母の伊賀古夜姫《いがこやひめ》命《みこと》の出身地で、賀茂社が勧請《かんじょう》され、氏子、崇敬者も多い。いまも宮川神社（京都府亀岡市）の氏子は、葵祭の構成員である。徳川家発祥の地・三河にも賀茂社が勧請された。徳川家に仕えた本多家（家紋は立葵）は、もと賀茂社の神官で、三河武士には葵紋を用いる者が多かった。

徳川家の葵紋は、酒井氏から譲ってもらった紋だとされる。家康より六代前の松平信光の時、安祥城《あんじょう》攻撃を前に、酒井親清《ちかきよ》がミズアオイの葉三枚を

家紋のいろいろ

船《ふね》紋、帆《ほ》紋

丸に帆懸船

海上交通に関係した諸家が用いた紋である。船紋には帆懸船、宝船、木の葉船などがあり、いずれも帆が必ずつく。これは帆が旗と同じく、霊がよりつく神聖なところと見られたからだ。

帆懸船紋は、後醍醐天皇が隠岐を脱出した時、船上山《せんじょうさん》にこれを迎えた名和《なわ》長年《ながとし》に与えられたことで名高い。

大坂夏の陣の後、豊臣方について捕まった土佐の元大名・長宗我部盛親は、帆懸船紋の羽織を着て斬首された。

■この家紋を用いているのは……「船」は伊丹、青木、船江、福王などの各家、「帆」は名和、帆足、嘉悦《かや》などの各家。

鼎《かなえ》のように敷き、ノシアワビ、勝栗、昆布を盛って祝詞《のりと》をあげた。それが勝利を呼び込んで、信光の命令により酒井氏は三つ葉葵を紋とした。

だが信光の孫・長親が、酒井氏の武功にあやかろうと、三つ葉葵を献上させ、代わりに酢漿草《かたばみ》紋を与えたという。また家康の祖父・清康が本多正忠に乞うて、松平の紋として葵をもらったともいう。

三つ葵紋は、鳳凰や桐などのように紋そのものに権威のいわれはない。将軍家が用いたために、権威ある紋となったのだ。

幕府は、徳川氏一門以外の葵紋の使用を禁止した。そして、将軍家の姫が大名家に嫁いだ場合、嫁入り先での使用は許したが、姫一代かぎりとした。

また山内左内という浪人が、堂々と葵紋を着物に付けたために死罪となった。その直後の享保《きょうほう》八年（一七二三）二月に、葵紋私用禁止令が出た。幕末、医学者のシーボルトが帰国に際し、葵紋のついた衣服を持ち出そうとして抑留され、再来日を禁止された。葵紋の海外への持ち出しは、徳川家の権威に関わるとして糾弾されたのだ。

■この家紋を用いているのは……徳川、松平、本多などの各家。

二葉葵

将軍家の葵

尾張徳川家の葵

本田家の立葵

家紋のいろいろ
櫂《かい》紋、楫《かじ》紋、碇《いかり》紋

丸に違い櫂

碇

船に関わる家紋は多い。櫂も楫も船に絶対なくてはならぬものとして、家紋になった。櫂や楫には、二本のそれらをクロスさせる「違い櫂」、もしくは「違い楫」という紋がある。だが、ただの楫紋は一つ楫が堂々としていて男らしい。

碇には綱のついたものと、つかないものがある。碇は日本海軍の徽章《きしょう》でもある。

■この家紋を用いているのは……「櫂」は山本、小西などの各家、「楫」は藤懸、堀などの各家、「碇」は伊丹などの各家。

「鍬形《くわがた》」の紋

兜《かぶと》の前立てが家紋の原型

兜の前立てとして代表的なデザイン。農作業の道具である鍬をかたどったものだ。

徳川家康がある時、織田信長と豊臣秀吉の三人で、いずれも鍬形の兜をつけ、天下の形勢を論じ合うという、不思議な夢を見た。そこから、家康の十男で紀州徳川家の始祖となった頼宣《よりのぶ》が、替紋として鍬形の紋を用いた。また紀州家の支流の西条松平家も、これを使用した。

三つ寄せにした鍬形の間に剣をはめ込んだものもある。

■この家紋を用いているのは……紀州徳川、松平、藤崎、豊原、村岡などの各家。

紀州家の
三つ寄せ鍬形

家紋のいろいろ

澪標《みおつくし》紋

澪標

澪標とは、航行する船が浅瀬に乗り上げないよう、深い場所を知らせるために立てた標識をいう。大阪市の市章として知られる。

『万葉集』には「みをつくしま尽くして思へかもここにももとな夢にし見ゆる」といった歌がある。「みをつくし」は枕詞に使われ、心を尽くして妻が思っていてくれるからか、やたら妻の夢を見るという歌意。

武士は「みをつくし」という言葉に「身を尽くして主君に仕える」という意味を込めた。それに加えて、左右対称のデザインが好まれた。そこから、家紋になったのである。

■この家紋を用いているのは、戸川家のみ。

「六文銭《ろくもんせん》」の紋

真田幸村の旗印、来世の幸せを祈願

永楽銭の紋（一六五ページを参照）は、現世の利益《りやく》を願ったもの。これに対して、真田幸村が大坂の陣で掲げた六文銭の旗印は、来世の幸せを願う紋である。この紋は地蔵信仰[注42]に基づく。

武士は戦いで人を殺す。だが、殺生《せっしょう》は仏教では許されない。殺生する者は地獄で無限の責め苦に遭うとされる。しかし、六道《ろくどう》[注43]の衆生を救うという地蔵の慈悲は、その武士たちの非道をも救ってくれるとされた。すなわち、六文銭とは死者が三途《さんず》の川を渡り、六道におわす地蔵に救済を願う銭なのである。

■この家紋を用いているのは……滋野《しげの》、海野、真田、小野、矢島、浦野、野村、八木などの各家。

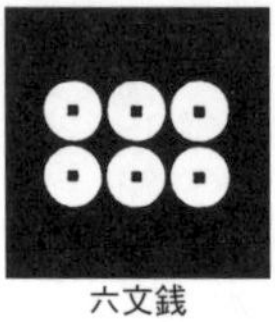

六文銭

（注42）仏教では、釈迦が入滅してから、弥勒《みろく》菩薩が悟りを開いて仏となるまでに、五十六億七千万年の時を要するという。そのあいだは無仏《むぶつ》の期間で、この娑婆《しゃば》世界は五濁悪世《ごじょくあくせ》の闇黒時代となる。こうした無仏の時代に娑婆世界に留まって、衆生（生きとし生けるもの）の救済に努めるのが地蔵菩薩である。日本では平安時代から盛んに尊信された。

（注43）衆生が善悪の業によって赴き、住む六つの迷界。つまり、地獄、餓鬼《がき》、畜生、修羅《しゅら》、人間、天である。

「剣《けん》」の紋

家紋に用いられるのは両刃《もろは》の剣《つるぎ》

剣の紋は、もちろん武士が用いた。だが、家紋に描かれた剣は、切れ味するどい日本刀ではない。青銅の両刃の剣、もしくは中国の剣[注44]である。

剣は中国の伝説では、仙人の宝物だったとされる。その剣を放射状に三つ、六つ、八つと置く。剣のデザインで目を引くのが、酢漿草《かたばみ》、桔梗、柏などの花や葉の間に剣を挟んで、武威をより強調したことだ。それがまた家紋を美しく引き立たせている。

■この家紋を用いているのは……早川、彦坂、植村、興津、山田、森、白井、松波などの各家。

違い剣

（注44）中国の剣は、おおむね無反り《むぞり》だ。つまり、刀身に反りがない。直刀《ちょくとう》、なのである。

「馬《うま》」の紋

かつては戦さに大活躍

この紋は、馬全体を写実的に描く。杭《くい》に繋《つな》がれた馬、また放ち馬をデザインしている。デフォルメされた紋模様を特色とする家紋には珍しい。

平将門《まさかど》を祖とする相馬氏は繋馬《つなぎうま》紋。東国には古代、馬を放牧した官牧があった。将門は牧の管理人だったところから、相馬氏は馬を家紋としたと思われる。また九州の大村氏も古くは繋馬の紋を用いた。

人馬一体となった戦いに、馬は貴重は動物であるだけに、武家の家紋となった。

■この家紋を用いているのは……相馬、三田、黒沢、神田、岸、堀本などの各家。

相馬氏の繋馬

家紋のいろいろ 笠《かさ》紋

柳生笠

狩り番笠

笠紋は、傘紋と同一に扱われることがある。だが、笠紋には傘紋が持つ権威性はない。笠は頭にかぶって身を守るもの。市女《いちめ》笠はその優雅さから、また唐人笠はハイカラで希少価値があることから家紋となった。

柳生氏の紋は、女性が用いた市女笠。古田氏の場合は、朝鮮出兵で敵将の首三つを取った際、秀吉から首に替えて、唐人笠三つの紋にせよと命じられた記念紋だ。また日本で三、四番目に多い苗字の高橋姓に、この笠紋が多い。

■この家紋を用いているのは……柳生、建部《たけべ》、高橋、大橋、松井、三島、近藤、古田、成島などの各家。

「轡《くつわ》」「鉸具《かこ》」の紋

馬具を巧みにデザイン

轡と鉸具は、ともに馬具である。轡は馬の口にかませる金具で、鉸具は鐙《あぶみ》につく金具である。いずれの紋も武士にとって大切な馬の、尚武的な意味合いを表現する。

轡紋の大草氏は、先祖が家康の轡をとって戦場を駆け回り、家康から「これを紋にせよ」と命じられて、記念紋として使用した。

轡紋は島津の十字紋にそっくりだが、起源も性格も違う。キリシタン禁制の江戸期、十字架に似るこの紋を、信者たちは密かに信仰の対象にしていたともいう。

■この家紋を用いているのは……「轡」は大草、島崎、後藤、島などの各家、「鉸具」は三善、飯尾、佐波、高安などの各家。

轡

「蟹《かに》」「栄螺《さざえ》」の紋

戦う武者のイメージ

蟹のハサミは槍や刀を持って戦う姿を連想させ、また厚い甲羅は頑丈な鎧《よろい》を思い起こさせる。蟹の紋は、そうした尚武のイメージにあやかった武士紋だ。

蟹が甲羅なら、栄螺は巻き貝で、その表面はゴツゴツしていて頑丈である。こちらも鎧兜のイメージにつながって、家紋となったようだ。

■この家紋を用いているのは……「蟹」は寺沢、可児《かに》、屋代などの各家、また「栄螺」は内藤、椿井などの各家。

蟹

栄螺

「吾亦紅《われもこう》」の紋

新陰流の剣豪、柳生《やぎゅう》氏の家紋

ワレモコウは山野に自生し、かわいい花をつける。秋の七草の一つで、バラ科の多年草。根は止血剤になる。

『寛政重修諸家譜《かんせいちょうしゅうしょかふ》』注45に、大和柳生氏の家紋は和礼茂香《われもこう》、一階笠、雪笹とある。奈良市から山を隔てた柳生谷に、江戸初期の剣術家、柳生宗厳《むねよし》は隠栖《いんせい》した。足利将軍家の滅亡を機に、俗世間との関係を断ち切って、以後、二十年間を新陰流兵法の研鑽にいそしんだ。六十五歳で剃髪して、石舟斎《せきしゅうさい》を名乗る。注46

剣禅一如の境地に至る修練の地に、吾亦紅はよく似合う。その紋は吾亦紅に雀を配する。

■この家紋を用いているのは、柳生家のみ。

吾亦紅に雀

（注45）諸大名以下、幕臣御目見《おめみえ》以上の諸氏の系図や略歴を記した書。幕府が編纂し、文化九年（一八一二）に完成した。『寛永諸家系譜伝』（一六四三年編）の続編として計画され、十四年を費やして作られた。

（注46）柳生新陰流には、江戸柳生と尾張柳生の二つの流れがある。

江戸柳生流の開祖は、宗厳の次男・宗矩《むねのり》だ。彼は徳川将軍家の剣法師範であった。

尾張柳生流は、宗厳の嫡孫・兵庫助利厳《としよし》が創始した。彼は尾張藩の剣術師範だった。

「鉞《まさかり》」の紋

天子が授けた神聖な武具

斧《おの》の大きいものが鉞である。木を伐採するのに使うだけでなく、古代には兵器、また刑具として用いられた。足柄山の金太郎でお馴染みだ。

日本武尊《やまとたけるのみこと》（八三ページを参照）が東国の服さざる者たちを討つために出発する際、父の景行天皇は鉞を授けている。

このように、鉞は将軍が出陣する際、天子から賜る神聖な武器であった。神功《じんぐう》皇后[注47]も新羅《しらぎ》遠征の時に、鉞をとって三軍に出撃の命令を下している。その武威を得ようと、家紋に採用したのである。

■この家紋を用いているのは……芥川、荒尾、永井、沢、美濃部、武島などの各家。

五つの鉞車

（注47）記紀に見える仲哀《ちゅうあい》天皇の皇后。応神天皇の母親でもある。仲哀天皇が急死したのち、新羅に出兵、新羅王を服属させる。

家紋の絵柄はなぜ平和的なのか

ヨーロッパの紋章に対して、日本の家紋は軟弱なほどに、やさしい雰囲気が溢れている。

イスパニア商人のアビラ・ヒロンは、秀吉政権から家康政権に至る時代に、日本に二十年も滞在した。彼は『日本王国記』に「日本の男は闘争的で、容易に鉄が切れるほど精錬された鉄鋼で作った、残忍きわまる鋭利な武器を使用する」と記している。

また、イエズス会の宣教師、フロイスは『日欧文化比較』で、「顔の刀傷を日本人は誇りとし、よく治療しない」と、武士たちの荒っぽさに驚き、またその残酷さを指摘している。

しかしこの武士たちが、時には命を懸けて守りもした家紋は、その正反対で、実に平和的である。また美的センスに溢れている。なぜなのだろう。

土佐藩・山内家の定紋は「三つ柏」紋である。藩祖・一豊がこの紋を用いるようになるのは、父の盛豊の事跡がもとになっているとされる。これは、戦場に繋る柏に由来する。

現代でも、柏の葉にくるんだ、餡《あん》の入った餅を柏餅といい、五月五日の端午の節句の供え物とする。柏には神が宿っているという。

盛豊は、ある戦いの前に柏の木を見つけると、その柏に勝利を願った。そして、旗指物に葉のついた柏の小枝を刺した。激戦の末、盛豊は戦いに勝利する。

ふと気がつくと、旗指物にしがみつくように、三枚だけ葉っぱが残っていた。

「なんと健気な。きっとこの葉が、自分に勝利を呼び込んでくれたに違いない」

と、盛豊は思った。彼はその葉に神意を見たのである。

そこで、この三枚の柏の葉をもって、山内家繁栄の紋とした。さらに、息子の一豊は、土佐二十万石の山内大名家の代表紋としたのだ。

毛利元就《もとなり》は七十五年の生涯で二百数十回という戦いを重ねた。それにより中国地方を平定した、西国における戦国武将の雄である。

元就は「芸も能も遊も花も、何もかもいらぬ。ただ日夜ともに、武略、智略、計略の調略を工夫することこそ肝要である」と自ら語るほどの、まさに戦いだけしか頭にないような、無粋というしかない武将であった。

しかし、家紋の逸話を通じてみると、元就の意外な一面が浮かび上がる。

戦いの日々、元就は戦場への道にかかる橋を渡る。水辺に沢瀉《おもだか》の花が咲き、トンボが羽を休めていた。彼は思わず馬を止めた。

戦いに向かう緊張感がふっと消えて、心の中に快い風が吹き抜ける。その静寂に元就はしばし安らぎを覚える。

やがて戦いの修羅場に臨む。今回もまた勝利を収めた。喜びの中で、脳裏にトンボが羽を休める沢瀉の涼しげな風景がよみがえった。元就は、その沢瀉を迷うことなく家紋にした。

山内盛豊にしろ毛利元就にしろ、その家紋採用のいわれには、武士というよりも、むしろ風雅を愛してきた〝日本人の心〟が読みとれる。

美濃源氏、美濃守護の名門・土岐氏が桔梗を家紋にする経緯もまた、花鳥風月を愛してきた日本人の心を物語る。

戦いの中で、しばし休憩の時がやってくる。土岐氏の武将は重い兜を脱いで、鎧を外し、ほっと息をつく。自分を取り戻し、人間に返る時間である。そんな折、すぐそばに、秋を告げて、涼しげに桔梗の花が咲いていた。思わず手が伸びる。一輪を手折って、兜につけてしまう。

再び戦闘が始まった。

戦いの間、桔梗は、傷つき、死んでゆく多くの敵味方の将兵たちを、武将とともに見届けることになる。

戦いは土岐軍の勝利に帰した。武将が、ふと手を兜にやると、桔梗は落ちもせず、兜に付いたまま、野にある時と同じように、みずみずしい美しさを保っていた。

その桔梗の健気さに、土岐氏の武将は泣きたくなるほどのいとおしさを覚えた。桔梗は、こうして土岐氏の代表家紋になったという。

PART 5

豊作を祈願する家紋

「稲《いね》」の紋

日本人で最も多い姓、鈴木氏の代表紋

稲は、烏（熊野神社の神使）、藤丸（熊野三山の初代別当の紋）、洲浜《すはま》（同山の奥院・玉置《たまき》神社の神紋）とともに鈴木氏の代表紋である。

古代、熊野の氏族・高倉下《たかくらじ》は稲穂を持って全国各地に出向いた。彼らは、いわば田づくりを教える開拓集団だった。秋の収穫時になると、彼らは熊野権現の神前に稲穂を高く積み上げ、神に捧げた。そこから、高倉下の子孫たちは穂積氏を名乗り、さらに榎本、宇井、鈴木の三氏が生まれた。

中世になると、熊野信仰が広がり、全国に熊野権現が分祀された。その折、神官が各地に土着し、氏子と共に鈴木姓を名乗ったのである。また、抱き稲（紋の一つ。穂の付いた稲を左右から向き合わせ、輪形にしたもの）の中に三本足の烏を配する家紋も生まれた。

■この家紋を用いているのは……鈴木、穂積、亀井、佐々木、稲富、稲生、大岡、米倉、池田、近藤、米野、中条、花房、岡林、小西、近藤などの各家。

抱き稲

変わり稲の丸

家紋のいろいろ

烏帽子《えぼし》紋

烏帽子

烏帽子はその昔、身分を問わず男がかぶった帽子である。真っ黒な布帛《ふはく》または紙が素材だった。そのため、烏を連想させ、この名がついた。烏帽子には立烏帽子と折烏帽子があって、家紋になったのは、おもに折烏帽子である。

十五世紀以降、月代《さかやき》といって額髪を半月形に剃り落とす風習が一般化した。それによって烏帽子はすたれ、儀式用のものへと変質した。

折烏帽子は大人になる儀式である元服の際に用いられた。この時に童名が廃され、烏帽子親から成人の名前をもらった。その瑞祥的な意味が烏帽子紋には秘められている。

■この家紋を用いているのは……北、福守などの各家。

「月《つき》」の紋

三日月は吉祥の姿かたち

月の満ち欠けは、ひとの世の栄枯盛衰——すなわち運命の隆替と酷似している。新月＝三日月＝上弦の月は、満月へ向かって育ちゆく過程のすがたなのである。追い風を受けて、上げ潮に乗っているという、そんな縁起のよいかたちなのだ。

閑話休題《それはさておき》。江戸時代の後期、滝沢馬琴《ばきん》は『椿説弓張月《ちんぜいゆみはりづき》』という読本《よみほん》を著わした。これは源氏の武将・源為朝《ためとも》を描いたもの。そのタイトルが示すように、弓を張った形の弦月《げんげつ》は、不死を願う武士の信仰の対象となった。

尼子《あまこ》家の家臣・山中鹿之介は主家の再興に命を懸け、「われに七難八苦を与え給え」と三日月に祈った。また伊達政宗は兜の前立てとして、三日月の意匠を好んだという。武将が用いた三日月形の前立てには、不老不死を願う気持ちが込められていた。

■この家紋を用いているのは……佐竹、渡辺、土岐、丹波、中山、加治、黒田、根岸、岩城、奥平、浅井、天野、大原、野中、小栗、望月、三宅、早川、美濃部などの各家。

三日月

水月

「稲妻《いなずま》」の紋

稲光と稲の穂の関係とは?

雲間に光る稲妻をデザイン化したもの。稲光ともいう。奈良・平安時代の伝承によれば、稲の穂は稲光によって実るとか。

この紋は、光を一本の線で示し、それを内側から外側に、つぎつぎと曲折させて、菱形や四角形、また三角形にと、ひと筆書きふうに表現したものだ。三角の稲妻を三鱗紋のように三つ置いたり、菱形稲妻を三階菱の形に三つ配するなど、他の紋に似せて、さまざまな紋様にしている。

備前・岡山藩の伊東氏の紋は、信長から武功によりもらったものだという。

■この家紋を用いているのは……伊東、中島、御手洗《みたらい》、伊勢、武田などの各家。

稲妻

家紋のいろいろ

分銅《ふんどう》紋、曲尺《かねじゃく》紋

分銅

曲尺

分銅は秤《はかり》のおもりを紋章にしたもの。左右のバランスがとれた美しい紋様だ。桜花に見立てた分桐桜は、大阪万博のシンボルマークにもなった。

曲尺は大工道具で、L字形の単純な図柄である。

ものを正しく計る——それが、正義に通じることから、両者は家紋になった。

■この家紋を用いているのは……「分銅」は松平、堀尾、近藤、桜庭《さくらば》などの各家、「曲尺」は武者家など。

「雪《ゆき》」の紋

豊年への切実な祈願

古来、雪は豊年の瑞兆とされている。冬に雪が多ければ、来るべき秋の実りもまた豊か、なのだ。

雪紋は六角形の結晶をさまざまな形に紋様化したもの。また雪輪と呼ばれる優美な円環に、花などの植物紋を入れたものが、女紋として喜ばれた。

なお、雪輪は豊作への思いよりも、むしろ尚美的なイメージの濃い紋様である。

■この家紋を用いているのは……長井、佐藤などの各家。

初雪

雪輪に花菱

「竜《りゅう》」の紋

雨をめぐる竜神伝説

竜は架空の動物である。超自然的な力を持つとされる。中国の伝説では、麒麟《きりん》、鳳凰、亀とともに四瑞とされ、天子の象徴にもなってきた。

日本の家紋では、そうした権威的な要素ではなく、雨を呼ぶ竜神としての役割が重視された。これは、インドの伝説に仏教の影響が加わったものだ。つまり蛇を神格化し、水中に棲んで、雨雲を自由に操るものと考えたのである。[注48]

家紋はいずれも円形で、竜紋と雨紋とがある。

また一方、竜は仏教の守護神にもなった。

■この家紋を用いているのは……田村、佐田、高志、原田、比企《ひき》などの各家。

雨竜

（注48）竜神は古来、中国&インドをはじめ、タイやベトナム、カンボジア、ミャンマーなどの東南アジアで、すこぶる尊崇されてきた。

インドでは、竜神のことを「ナーガ」と呼び表わす。東南アジアにおいてもまた然りである。

この「ナーガ」とは「蛇」を指し示す言葉だ。早い話が、「コブラ」という意味である。

ちなみに、中国では、竜神の別名を「河伯《かはく》」と称している。読んで字のごとく、「河川の主《ぬし》」である。竜神イコール水神という、そんな伝承は、ここに由来しているわけだ。

「鎌《かま》」の紋

五穀豊穣を呼び招く農具

草や稲を刈る鎌は、稲作に不可欠の農具である。鎌はすでに石器時代にあった。鋭い刃を持つゆえに、鎖鎌《くさりがま》のような武器にもなった。そんなところから、田畑に入り込む魔物を払って、五穀豊穣を呼び招いてくれると信じられた。

この鎌、じつは法隆寺の五重塔にも置かれている。鎌によって、塔に降りかかる災いを切り払うためである。

つまり、鎌紋には農耕、尚武、呪術の三要素が含まれているのだ。ちなみに、信州の諏訪大社[注49]は梶紋とともに、鎌を神紋としている。

■この家紋を用いているのは……鎌田、坪内、深津、川井、森、今福などの各家。

四つ鎌車

(注49) 長野県諏訪市に鎮座する神社だ。祭神は建御《たけみ》名方神《なかたのかみ》と八坂《やさか》刀売神《とめのかみ》の二柱《ふたはしら》。創祀年代は不詳だが、鎌倉時代以降、軍神&農耕神として盛んに信仰された。なお、天下の奇祭として知られる御柱祭《おんばしらさい》は、寅《とら》年と申《さる》年の七月ごとに行なわれる。

「巴《ともえ》」の紋

水が渦を巻く形を紋様化

木曾義仲[注50]の愛妾・巴御前は巴紋様を好んだ。彼女の名は、それに由来するとされる。神社へ行くと、巴紋が目につく。とくに瓦に、この紋様が用いられている。これは竜神信仰と結び付いたものだ。つまり、火災が起きた時には、巴が水を呼び込むと考えられたのである。この紋様は十字、卍などと共に、世界に広く分布している。

巴紋には、右向きのものと左向きのものとがある。頭の部分が時計の針の方向にあるのが右巴で、逆が左巴である。

公家《くげ》の西園寺《さいおんじ》氏は、正嫡のみが使用する車紋として巴を用いた。また『忠臣蔵』で知られる吉良邸への討入りの太鼓にも、巴が描かれている。これは二つ巴で、大石内蔵《くらの》助《すけ》の紋所である。

なお、巴紋は三つ巴が紋の基本で、もともと八幡宮の神紋である。

■この家紋を用いているのは……西園寺、小倉、橋本、宇都宮、赤松、小山、結城、福島など多数。

左二つ巴

右三つ巴

（注50）一一五四～八四。平安後期の武将。正式の名は源義仲。治承《じしょう》四年（一一八〇）、以仁王《もちひとおう》の令旨《りょうじ》を奉じて挙兵。寿永《じゅえい》三年（一一八四）、征夷大将軍に任ぜられ、朝日将軍と称した。だが、源範頼《のりより》・義経の軍と戦って敗れ、近江国粟津《あわづ》で戦死した。

◆家紋こぼれ話

「巴」と同じく回転のイメージを図像化したものに「卍《まんじ》」がある（一一八ページを参照）。別名を「スワスティカ」（サンスクリット語＝古代インドの言語で「幸運」の意）という。この印は全世界に広く分布している。その一種としてよく知られているのが、ナチスの紋章「卐」（鉤十字《かぎじゅうじ》＝ハーケンクロイツ）だ。一説によれば、ヒトラーは左回りの「卍」を右回りの「卐」に置き換えることで、善悪・正邪を逆転させたという。

COLUMN 12

家紋に秘められた権威と格式

家紋は、農耕民族だった先祖たちの歴史を如実に物語っている。また家紋には、長寿・無病息災、家門の繁栄を願う瑞祥紋様が溢れている。

思いを神仏に願ううちに、神仏に関わる器物や法具なども家紋になった。しかし、それだけで家紋が出来ているわけではない。

主君などから、その功績や手柄によって拝領した家紋は、自ずと権威ある紋として各家に受け継がれた。そうした中で、紋それ自体が権威を持つものもある。代表例は「菊」紋である。菊紋自体に権威はないが、天皇家の紋となったことによって、権威が生じた。

ところで、中国からもたらされた紋様として、最も権威があるのは、やはり「鳳凰」紋であろう（一九二ページ参照）。

鳳凰は、聖帝がこの世に出現する時に姿を見せる、伝説上の瑞鳥である。雄鳥を鳳、雌鳥を凰という。古墳の壁画に描かれ、また古墳から出土する環頭太刀にも刻まれ、正倉院の御物にも見られる。鳳凰は奈良時代には紋様としても好まれた。

そして、関白の藤原頼通《よりみち》は平安時代の永承《えいしょう》七年（一〇五二）、宇治川のほとりに宇治平等院を建立した。その阿弥陀堂は、この世の極楽浄土を映し出したと言われ、鳳凰堂とも呼ばれる。

しかし、天皇家はこの「鳳凰」を家紋とせず、権威よりもむしろ不老不死への思いを込めて、「菊」紋を主要紋としたのである。

鳳凰伝説では、鳳凰は聖帝の住まいする東の庭の梧桐《ごどう》に宿り、竹の実を食べるとされた。この伝説から生まれた「桐」紋を、豊臣秀吉は天皇からもらった。そして、最大限、権威の象徴として用い、豊臣家のシンボルとした。

また「桐」紋は皇室の女紋とされると共に、従五位以上になると、天皇からそれを贈られた。ただ家紋は、法令などによって使用が禁止されなかったため、「桐」紋を使用する一般庶民も多かった。

「竹」紋も鳳凰が食べる実をつけることから、自ずと権威ある紋となった（二〇〇ページ参照）。「竹に雀」は閑院《かんいん》左大臣と呼ばれた藤原冬嗣《ふゆつぐ》の六男・良門《よしかど》の後裔である勧修寺《かじゅうじ》家の代表紋である。

勧修寺重房は、鎌倉後期に上杉庄《うえすぎのしょう》（京都府綾部市）に住んで、上杉氏を名乗った。その孫娘が室町幕府を開いた足利尊氏を生んで、重房は足利一門の外戚として権力を握った。やがて関東管領《かんれい》職となった上杉氏の「竹に雀」紋は、東国武士の憧れの紋所となる。

伊達家は政宗の曾祖父の植宗《たねむね》の時、二男の実元《さねもと》が上杉氏に養子に入ることになった。植宗はそのお礼に「竹に雀」紋と宇佐美長光《おさみつ》の太刀をもらった。

ところが、不慮の事故で縁談は中止された。しかし「竹に雀」紋を欲しかった植宗は、もらったものは返す必要がないと、ちゃっかり自分の紋にしてしまったのだ。

政宗は秀吉から、「菊」と「桐」の天皇家の紋をもらったが、これには見向きもせず、「竹に雀」を伊達家の定紋にした。

「牡丹」紋も近衛、鷹司《たかつかさ》という藤原本流の紋で、権威を持ち、皆が欲しがった。伊達家は政宗の曾孫の綱村の時、近衛家との婚姻によって、「牡丹」紋も手に入れている。

PART 6

神さま仏さまに関わる家紋

「折《お》敷《しき》」の紋

神に食事を捧げるお盆

神さま専用のお盆を図案化したものである。

神武東征の時、九州から水先案内をした越智《おち》氏一族は、「折敷に三文字」紋を用いた。この「三」は大山祇《おおやまつみ》神にちなんでいる。大山祇神社は瀬戸内海の大三《おおみ》島《しま》にあって、三島大明神ともいう。越智氏は、この「三」を折敷に配して、神紋としたのだ。そして、越智一族の河野《こうの》氏が神社を保護し、河野水軍の守護神とした。

ちなみに、春日局は河野氏と同族の稲葉氏の養女となり、しかも同じ稲葉に嫁いだ後、大奥に君臨した。その春日局もこの紋を用いた。

■この家紋を用いているのは……越智、河野、窪川、成田、林、原、稲葉、西条、一柳、三島などの各家。

折敷に三文字

家紋のいろいろ

独楽《こま》紋、知恵《ちえ》の輪《わ》紋

木下独楽

知恵の輪

中国から伝わった独楽は、平安期から遊びの道具としてあった。

太閤秀吉の妻おねの実家である、豊《ぶん》後《ご》日出《ひじ》藩の木下氏がこの紋を用いた。また円錐形をした貝独楽を使用するのは里村氏。秀吉から与えられたとする。

知恵の輪も遊び道具。知的なものにあやかりたいとして、家紋にしたものか。

■この家紋を用いているのは……「独楽」は木下、里村などの各家、「知恵の輪」は船田家。

「網《あみ》」の紋

聖観音《しょうかんのん》のあらたかな霊験《れいげん》に由来

網とは漁網のことだ。神紋では、浅草神社がこの網紋である。しかし、ここで注目されるのは、漁労との関わりで、この紋が生まれたのではないということだ。

推古《すいこ》天皇の時代、浅草の地の前方（現在の隅田川）は海であった。野見《のみの》宿禰《すくね》の子孫である土師直中知《はじのあたえなかとも》が家臣と舟を出し、魚を獲ろうと網を入れたが、魚はかからず、一寸八尺の聖観音[注51]が引っかかった。この観音の霊験はあらたかで、やがて浅草寺《せんそうじ》（二一八ページの注83を参照）の本尊となった。そこで観音様を守る浅草神社が生まれ、記念紋として網紋が掲げられたのだ。

なお、植崎家の紋は黒餅《こくもち》に竪網《たてあみ》である。ただ、家紋として用いた意味は定かでない。

中輪に二つ干網

■この家紋を用いているのは……植崎、須賀井などの各家。

（注51）七観音（千手《せんじゅ》、馬頭《ばとう》、十一面、聖、如意輪《にょいりん》、准胝《じゅんてい》、不空羂索《ふくうけんじゃく》）、または六観音（七観音のうち不空羂索を除く）の一つ。左手に蓮華《れんげ》を持ち、右手は開いた形で、衆生を救済するために種々の身を現ずる大慈大悲の菩薩。

「烏《からす》」の紋

三本足の烏、その別名は八《や》咫烏《たのからす》

紀州熊野三山[注52]の象徴は三本足の烏である。中国の伝説では、この烏は太陽に棲むといわれている。また、太陽を金烏と呼び称した。

熊野権現《ごんげん》の神使は八《や》咫烏《たのからす》だ。この三本足の烏は熊野神社ゆかりの鈴木一族の家紋である。雑賀庄《さいかのしょう》（和歌山市）の鎮守・矢宮《やのみや》神社の神紋でもあり、大坂の石山本願寺をめぐって信長に敵対した雑賀党[注53]の旗印となった。

　なお、サッカーの日本代表チームがこれを使うのは、昭和六年（一九三一）に日本サッカー協会が旗章として決めたことに基づいている。

■この家紋を用いているのは……鈴木、土居、宇井などの各家。

三本足の烏

（注52）熊野の三神社を指す。すなわち、本宮町の熊野本宮大社（別称、熊野権現）、新宮市の熊野速玉《はやたま》大社、それに那智勝浦町の熊野那智大社である。

　三山の中心となるのが熊野本宮大社で、崇神《すじん》天皇（三世紀後半）の時代に創祀されたとか。また、速玉大社の創祀は景行《けいこう》天皇（四世紀）のころとされている。

　両社よりも遅く、速玉大社の近辺に祀られたのが那智大社だ。この那智大社は那智の滝が御神体である。

（注53）鉄砲に熟達した傭兵集団。その本拠は紀ノ川の河口エリアで、頭目は鈴木（雑賀）孫一。

「梛《なぎ》」の紋

熊野権現の神木がそのルーツ

ナギは紀州や伊豆の太平洋沿岸の暖かい地に自生するマキ科の常緑高木。紋は枝、葉をかたどる。

この木は熊野権現の神木ということで、穂積、鈴木氏のほか、熊野の豪族や出身者が家紋とした。また源頼朝と北条政子が結ばれたゆかりの伊豆山権現（静岡県熱海市）では、夫婦円満、災厄除けの護符とした。人々は梛の葉を鏡の裏や守り袋に入れて息災を願った。

さらにナギは凪《なぎ》に通じるため、船の安全航海の護符とされ、漁師にはありがたいお守りになった。

■この家紋を用いているのは……鈴木、亀師、諏訪部などの各家。

一つ梛の葉の丸

家紋のいろいろ

八卦紋《はっか》

震卦

乾卦

易の八卦を家紋にしたもので、八卦のうち震《しん》、乾《けん》、離《り》という嘉形の三卦が使われる。「震」には雷のごとく戦って、敵を打ち破る尚武紋の意味がある。「乾」は陽の卦で、強く盛んなもの、また行動のたゆまないことを表わす。「離」は火を表現して、万物が育って成功するという瑞祥を示す。

■この家紋を用いているのは……三木、小坂などの各家。

「鏡《かがみ》」「額《がく》」の紋

古来、神聖な器具として尊重

鏡には神霊が宿るとされ、神社の御神体でもある。この鏡に、同じ三種の神器の勾玉や剣を加えた紋もある。

額は社寺に掛かるものが家紋になった。丹波・園部藩主となった小出氏は、ある合戦で十六（二掛ける八）の首を取り、神社の額に乗せ、首実検《くびじっけん》に臨んだ。そのため、家康から賞を賜り、「額に二八文字」を紋にすることになった。

一説に、「二八」とは天球に並んだ宿星＝「二十八宿」を意味するともいう。

■この家紋を用いているのは……「鏡」は贄《にえ》、青山などの各家、「額」は小出など。

鏡

丸に額

「幣《へい》」「鳥居《とりい》」の紋

崇厳《すうごん》な神霊と神域

幣は麻、紙などで作り、お祓《はら》いに使う。神霊が宿る神聖なものだ。柴田勝家は金の幣を馬印にした。

鳥居は神域を示すものとして、神社の門に当たる。鶏の止まり木から、その形が生まれたという。鳥居紋には鳩を止まらせた絵柄のものがある。また竹や垣根、巴、菊などと組み合わせたものも多い。

■この家紋を用いているのは……「幣」は穂積、鈴木、亀井などの各家、「鳥居」は大久保、浅岡、宮崎などの各家。

三盛幣

鳥居

家紋のいろいろ 五徳《ごとく》紋

五徳

五徳というのは、火鉢の炭火の上に置いて、鉄瓶や釜、鍋などを載せる三脚または四脚の鉄輪のことだ。信長は長女に五徳という名を付けた。五徳は儒教では、温・良・恭・倹・譲の五つの徳目であり、兵家では知・信・仁・勇・厳に通じることから、家紋になったようだ。

また五徳紋の親類として、金輪《かなわ》を組み合わせた金輪紋、釜などの下に敷く藁《わら》や、藤蔓《ふじつる》で編んだ敷物をデザインした釜敷紋がある。金輪紋は輪違い紋に似るが、それよりも線が細い。

■この家紋を用いているのは、疋田《ひきた》家のみ。

「千木《ちぎ》」「堅魚木《かつおぎ》」の紋

神社の大棟《おおむね》を飾る木材

千木、堅魚木は古代建築では権威の象徴であった。雄略天皇は配下の豪族が千木、堅魚木のある家を建てることを禁じた。

千木は神社建築の大棟の上で、X形に交差する二本の木である。堅魚木はその屋根に円柱状の丸木を寝かせたもの。さまざまな神社の社殿に見ることができる。

千木だけの紋、千木と堅魚木とを組み合わせた紋の両方がある。神職の家に、この紋を用いるものが多い。丹羽氏の筋違《すじか》い紋（九八ページを参照）は、千木紋だった可能性がある。

■この家紋を用いているのは……加藤、遠山、松田などの各家。

千木堅魚木

「瑞垣《みずがき》」の紋

神域を囲む垣根をデザイン化

瑞垣は、神社の周りを囲む垣根の美称である。玉垣、井垣ともいう。大久保・宇都宮氏の鳥居紋の両脇には垣根がついていて、「鳥居に井垣」と呼ばれた。だが、やがて垣根だけが独立して瑞垣紋と呼ばれ、大久保氏がこれを用いた。

大久保氏、大岡氏はともに宇都宮氏の支流。宇都宮氏は、関白・藤原道兼《みちかね》の曾孫・宗円《そうえん》が前九年の役（一〇五一）の時、下野国へ下向し、宇都宮座主《ざす》になったのが始まりだといわれる。やがて宇都宮氏は、下野一宮の神主を世襲する。瑞垣紋は、その神職・宇都宮氏のルーツを記念する紋といえる。

江戸町奉行の大岡越前守忠相《ただすけ》も、七宝紋とともにこの紋を使用した。

■この家紋を用いているのは……大久保、大岡などの各家。

瑞垣（玉垣）

家紋のいろいろ

太極図《たいきょくず》紋

太極図

太極図とは、中国の易学から生まれて、宋時代に大成した中国の哲学に基づく。天地が分かれる以前、絶対的に存在したものを太極という。これは万物生成の根元をなし、この動と静の活力から陰と陽の二気が生じ、さらに活動して五行となった。その五行が交わって男女となり、万物が育ったというもの。

日本では、江戸初期の儒学の流行によって、その思想を表わす太極図が家紋になったようだ。家紋の絵柄には、陰静陽動図と呼ばれるものと、この周りに風車を添えたものとがある。

■この家紋を用いているのは、安岡家のみ。

「欄干《らんかん》」「宝珠《ほうじゅ》」の紋

神社の手すり&竜王が持つ霊玉

欄干の紋は、神社の手すりである欄干をデザインしたものだ。町野氏は欄干を円形にした中に、違い鷹の羽紋を入れる。

宝珠は、これに祈れば何でも叶えられるという霊玉である。竜宮城に棲む竜が護持しているといわれた。正しくは、「如意宝珠《にょいほうじゅ》」という。宝珠は観音さまなどの仏像が持っている。

■この家紋を用いているのは……「欄干」は町野、「宝珠」は藁科《わらしな》の各家。

欄干丸に鷹の羽

一つ宝珠

「梅《うめ》」と「梅鉢《うめばち》」の紋

菅原道真《みちざね》にゆかりの家紋

梅を愛した菅原道真が恨みを呑んで死んだのち、怨霊《おんりょう》となった。これを鎮魂して、道真を天神として祀った。それにちなんだ信仰紋である。

梅紋には梅の花を描くものと、花をデフォルメした梅鉢の二種類がある。梅鉢は五弁の花びらを星にかたどって五つの円とし、中央にさらに小円を置く。これに花芯を三味線や太鼓のバチに見立てて、デザインしたもの。加賀百万石の前田家の紋として有名である。美濃出身の武将に使用者が多い。

梅紋は、尚美紋的な性格を持つ。だが、道真が雷神となったことから、農耕紋の性格も帯びた。しかし太宰府天満宮をはじめ天神社の紋として尊崇され、信者も梅、または梅鉢を使用した。

加賀前田家は初代・利家が星梅鉢を使い、三代・利常から小さな剣が付く梅鉢紋、すなわち剣梅鉢になった。

■この家紋を用いているのは……「梅」は小森、柴田、福島、小倉などの各家、「梅鉢」は菅原、前田、竹尾、山田、堀、金森、深尾、佐野など多数。

太宰府天満宮の梅

加賀前田家の梅鉢

家紋のいろいろ

算木《さんぎ》紋

算木

算木とは、易《えき》占いに用いた道具。六本で一組になっている。三本は中央に刻みがあって、陰を表わし、残る三本は陽を表わす。もとは古代中国で計算に使われ、日本に入って、やはり和算で用いられた。算木紋は、引両紋と間違われやすい。

九州の大友氏は杏葉《ぎょうよう》紋を同紋衆（同じ紋を使用する一門）の紋とし、大友氏のみが算木紋を用いた。また算木一本が五の数を意味するため、土佐藩家老の五藤氏は下り藤の丸に算木一本を置いて、苗字の内の「五」を表わした。

■この家紋を用いているのは……大友、加藤、滝川、寒河、星合、今村、杉岡などの各家。

「杉《すぎ》」の紋

神が降臨し給う常緑樹《ときわぎ》

天に向かって真っ直ぐに伸びる杉には、太陽の光が降りそそぐ。杉は天から舞い降りる神の依代《よりしろ》とされ、神の宿る木といわれた。御神体が三輪山[注54]である大神《おおみわ》神社は、この山を三本の杉で表現する。大神氏はもちろん杉紋である。

豊後の緒方惟義《おがたこれよし》は源義経に味方し、頼朝と不和になった義経を岡城（大分県竹田市）に迎えようとした。だが、摂津の大物浦《だいもつのうら》で義経一行が難破し、思いを遂げられなかった。この緒方氏も大神氏の子孫で、杉紋である。

■この家紋を用いているのは……新見、上林、小島、有馬、杉浦、杉、杉田、本多、岩瀬、木梨などの各家。

重ね三本杉

（注54）奈良県桜井市の北部に位置している。その山麓には、有名な箸墓《はしはか》古墳がある。一説によれば、この古墳は邪馬台国の女王・卑弥呼の墓地だという。

「梶《かじ》」の紋

そもそもの始まりは七夕伝説

中国の牽牛《けんぎゅう》と織女の天の川伝説は、日本人に星へのロマンを抱かせる。『万葉集』には、百三十二首の七夕の歌が詠まれる。七夕は朝廷の重要行事であった。聖武、平城《へいぜい》、嵯峨の三天皇は相撲を見物しながら、文人に七夕の詩を作らせた。

この七夕にちなんだ家紋が梶紋であり、信州の諏訪大社の神紋でもある。梶はクワ科の落葉高木。山野に自生する。皮は白和幣《しらにぎて》として神事に欠かせず、葉は神前に供える食器となった。

奈良時代の昔から、婦女子は七夕が近づくと梶の葉を摘み、これに詩歌や願い事を書いた。

足利将軍は七夕祭に、必ず梶紋様の衣服を着用した。

梶紋は武士の時代、軍神の象徴となる。坂上田村麻呂[注55]は蝦夷討伐の途中、諏訪大社で戦勝を祈願した。時代が下って、源頼朝はこの大社を深く崇敬した。

武田信玄も「諏方南宮上下大明神」の旗を陣営の守り神とし、諏訪明神の神像を兜に付けて戦った。

武神として諏訪明神は各地に勧請され、神官、氏子が梶紋を付けたことか

（注55）七五八〜八一一年。平安初期の武官。蝦夷征討ののち官位を極め、大同《だいどう》四年（八〇九）には大納言となった。

ら、全国的な広がりを見せた。

■この家紋を用いているのは……松浦、諏訪、秋山、保科《ほしな》、梶田、堀川、土橋、原田、神、上原、江原、中西、中沢、小野、山本、池原などの各家。

諏訪上社の梶紋

梶の葉

家紋のいろいろ

鈴《すず》紋、瓶子《へいじ》紋

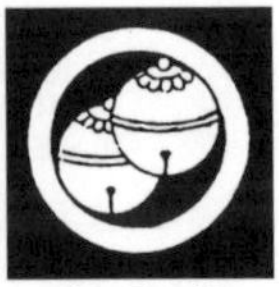
丸に重ね鈴

瓶子

鈴は、中国から伝わった。「鈴が音の駅家の……」と『万葉集』に歌われたように、古代交通の主役、馬に付けられた。神楽など神事にも欠かせない。瓶子は神に捧げる酒を入れた徳利形の壺。信仰と併せ、形の美しさから家紋になった。

ともに宗教紋である。

■この家紋を用いているのは……「鈴」は鈴木など、「瓶子」は塙《はなわ》、紅林《くればやし》、宇佐美、安食《あじき》などの各家。

「柏《かしわ》」の紋

古くから神官の家紋として用いられた

ヒノキ、サワラなどの常緑樹を古来、柏といった。冬、葉が落ちないのは葉守りの神が柏に宿っているためと信じられた。

だが、家紋となっているのはこの柏ではなく、本来「槲」と書く落葉高木である。柏餅でお馴染みの葉で、梶の葉同様に神に供える食事を盛った。

土佐の山内氏が使用する三つ柏は、神官紋として有名。伊勢神宮の久志本、熱田神宮の千秋、宗像《むなかた》神社の宗像、吉備津《きびつ》神社の大守《おおもり》などの各氏が用いた。

また岡城の中川氏も、定紋は中川柏と呼ばれる二葉の柏を用いた紋。先祖が衛門府《えもんふ》の番長を務め、この表標が柏の葉だったからだという。

■この家紋を用いているのは……山内、中川、吉田、萩原、今井、清水、神尾、蜂須賀、長田、島など多数。

三つ柏

家紋のいろいろ

枇杷《びわ》紋

三つ枇杷の葉

ビワは、果実あるいは葉が楽器の琵琶に似ているから、そう呼ばれたという。日本に自生して、葉は堅く、緑は濃い。五弁の白い花が咲き、実は果実として、すでに平安時代に食べられていた。幹は強く、木刀や杖に用いられ、端午《たんご》の節句の厄払いにも使われたという。

家紋は三つ柏とそっくりにデザインされている。しかも、これを用いるのは土佐の山内家の分家のみ。本家の三つ柏を模して、分家の紋としたようだ。

また三つ葉に実を配する図案もある。

■この家紋を用いているのは……山内、横内などの各家。

「祇園守《ぎおんまもり》」の紋

京都・八坂神社の護符が淵源《えんげん》

祇園祭で名高い八坂神社が発行する牛頭《ごず》天王の護符、これを祇園守という。牛頭天王はもともとインドの祇園精舎《ぎおんしょうじゃ》の守護神である。それが、日本では薬師如来の化身、また素戔嗚尊《すさのおのみこと》であるとされている。

家紋は牛頭信仰から生まれた。立花宗茂は朝鮮出兵の旗に祇園守を描いた。立花氏はこれをキリシタン紋に見立て、他の信者も密かにこの紋を用いたという。つまり、天主を天王に仮託し、×印を十字架に見立てたのだ。しかも、紋がエキゾチックな感じで、それらしかったのである。

■この家紋を用いているのは……池田、立花などの各家。

祇園守

家紋のいろいろ

葉《は》菊草《ぎくそう》紋

葉菊草

青山氏は丹波・篠山《ささやま》藩主として幕末を迎えた。その青山氏がこの葉菊草紋を用いた。ハギクソウは海岸に自生し、菊によく似る。

譜代の三河武士である青山忠門《ただかど》は松平氏に仕え、家康がまだ幼い時、三河にある法蔵寺の後ろの山に、供をして登った。家康がここで見慣れぬ美しい花を見つけ、忠門がハギクソウだと教えると、手折って「汝が紋にせよ」と言った。そこから家紋になったという。

■この家紋を用いているのは、青山氏のみ。

「久《く》留《る》子《す》」の紋

隠れキリシタンが伝えてきた

クルスとは、ポルトガル語で十字架という意味。戦国時代の後半、武将たちは貿易の利益を求めて、つぎつぎにキリシタンになった。だが、秀吉の禁止令、また徳川幕府の弾圧で、ほとんどの武将が棄教した。しかし禁制の中、家紋にだけでもその事実をとどめようとして、これが生まれた。中川・内田氏は久留子紋、池田氏は花久留子紋を用いた。

なお祇園守紋、轡《くつわ》紋、矢《や》筈《はず》紋も隠れキリシタンの信仰紋になった。

■この家紋を用いているのは……中川、池田、辻、島崎、内田、高木、鎌田などの各家。

中川久留子

「輪宝《りんぽう》」の紋

仏教の教義を継承する家紋

輪宝は古代インドの武器だ。理想の王である転輪王《てんりんおう》の持つ七宝の一つ。王を先導して、あらゆる障害を打ち砕き、四方を降伏させる力を有する。『信貴山縁起《しぎさんえんぎ》』には、信貴山から飛来した護法の童子が、輪宝を転がしながら清涼殿に向かう姿が描かれている。仏教では、輪宝によって心の中の敵を打破する意味を持つ。

輪宝は密教の法具となり、灌頂《かんじょう》道場[注56]で使われた。奈良の薬師寺の仏足石《ぶっそくせき》には、輪宝紋が刻まれる。

■この家紋を用いているのは……三宅、春日、加納、津軽、布施、塩入、漆戸、根本、成田などの各家。

輪宝

（注56）密教特有の儀式を行なう場所。ちなみに「灌頂」とは、頭に水をそそぐことをいう。

「羯磨《かつま》」「錫杖《しゃくじょう》」の紋

古代インド原産、密教系の法具

羯磨は古代インドの武器だった金剛杵《こんごうしょ》注57のうち、三鈷《さんこ》を十字に組み合わせたもの。密教の呪術法具となり、煩悩《ぼんのう》を打ち砕いて、菩提心《ぼだいしん》を得る意味が込められている。

錫杖は僧や修験者が持つ杖。山野を歩く時は悪獣毒蛇を払い、人里にあっては物を乞う際の印となる。卍紋を家紋とする津軽家は、錫杖を自家独自の紋とした。

■この家紋を用いているのは……「羯磨」は春日、「錫杖」は津軽の各家。

羯磨

錫杖

（注57）サンスクリット語で、「ヴァジュラ」という。「降魔折伏《ごうましゃくぶく》」――悪魔を降伏させる威力を秘めているとか。

「懸魚《げぎょ》」の紋

水克火《すいこくか》……水は火に克《か》つ

懸魚とは、寺院の破風《はふ》の下や棟木《むなぎ》の端に付けた飾り。これを家紋にしたものだ。懸魚は巴紋と同様に、防火の意味を持つ呪術紋様。火災には水を配するということから、懸魚（魚を吊り下げるという意味）と呼ばれた。

この紋は六つの花びら、または葉の形からできているので六葉紋ともいう。結城《ゆうき》水野氏は、もとは桔梗紋だった。だが、明智光秀の謀反を機に同じ紋を嫌い、六つ桔梗と称して、懸魚紋を用いた。六葉の中央に十二ヵ弁の菊をはめ込んだ合併紋もある。

■この家紋を用いているのは……水野、根来《ねごろ》などの各家。

六枚懸魚

家紋のいろいろ

赤鳥《あかとり》紋、馬櫛《うまぐし》紋

赤鳥

赤鳥は一風変わった家紋である。赤鳥とは、櫛の歯の汚れを取る女性の化粧道具、垢《あか》取りのこと。垢取りでは印象が悪いので、「赤鳥」の漢字を当てた。これは宗教紋といえる。富士浅間《せんげん》神社の神託によって、今川氏が垢取り紋を笠印にしたからである。家康の正室・築山殿《つきやまどの》は今川一門の瀬名氏で、この紋を用いた。

馬櫛紋もほとんど赤鳥紋と同じ形で、馬の垢取り道具。こちらは宗教紋でなく、貴重な馬を形に表わした紋だ。

■この家紋を用いているのは……「赤鳥」は今川、瀬名、西尾、東条などの各家、「馬櫛」は飯室、安部などの各家。

「七宝《しっぽう》」の紋

仏教でいう「七つの宝」とは?

この家紋は正倉院の紋様にも見られ、古くから貴族に愛された。七宝とは、仏教でいう金、銀、瑠璃《るり》、瑪瑙《めのう》、珊瑚《さんご》、しゃこ、玻璃《はり》(水晶)の七つの宝のことである。

この紋様を繋《つな》げることを七宝繋ぎといい、吉祥が四方あまねく無限大に広がることを意味した。かつては花違い紋ともいわれ、円を寄せ合わせた上で一部を切り取って、紋としている。

ちなみに、七宝紋は江戸の名奉行・大岡越前守忠相《ただすけ》の紋として有名だ。

■この家紋を用いているのは……小林、相場、塩谷、井坂、小倉、加藤、立花、秋月、大岡などの各家。

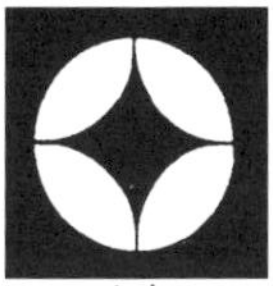

七宝

神紋の雄、「亀甲《きっこう》」と「太一《たいいつ》」

神紋は、神話などからも明らかなように、祭神にちなむものが多い。また神社は武士が領地をもらい、新田を開発し、その地名を名字とし、そこに先祖を祀る祠《ほこら》を建てる――そんな形が多い。

そうした神社の場合、もちろん創設者の家紋が神社の紋になった。それは菩提寺も同じで、その寺の開基となった人物の家紋が寺紋になっている。

神社でその古さを誇るのは、出雲大社と伊勢神宮である。出雲大社には「二重亀甲に剣唐花」紋が威風堂々と屋根の甍《いらか》高く上がっている。これは出雲国《くにの》造《みやつこ》の紋で、神紋は「二重亀甲に有文《あり》字」紋である。この「亀甲」紋は、祭神の大国主命の神徳が六合《りくごう》（宇宙全体）に行きわたることを示している。

二重亀甲に有文字

それと共に、出雲は大和や九州を中心とした古代日本において、北に位置し、その北方をつかさどるのは玄武《げんぶ》であった。

玄武は、すなわち亀を意味するため、亀甲が神紋に用いられたとされる。そして出雲にある神社は、ほとんどが「亀甲」を神紋としている。

一方の伊勢神宮は、神紋が「花菱」と「太一」（現在は大一を用いる）である。大一は本来、太一が正しく、中国の古代思想では宇宙の根源を意味し、天帝をも指す。天皇と同じ意味を持ち、「太一」紋は皇祖神の天照大神を祀るにふさわしい神紋といえる。また「花菱」は建物の装飾から発展して、神紋となったと思われる。

ところで、伊勢神宮の外宮と内宮を結ぶ参道にずらり並ぶ石灯籠《いしどうろう》に、イスラエルの国旗でお馴染みのダビデの星と同じ紋様の「籠目《かごめ》」紋がついている。これを伊勢神宮の神紋と思っている人も少なくない。

しかしこの紋は、今の天皇・皇后の御成婚の記念に、関西の石材店が考案して、勝手につけた印である。伊勢神宮とは何の関係もないという。

桜の紋章が寺で愛された理由《わけ》

京都や奈良の古寺を歩くと、賽銭箱《さいせんばこ》や幕、また屋根に必ず寺紋が付いている。神社の紋を「神紋」と呼び、寺の紋を「寺紋」という。基本的に家紋と神紋・寺紋は同じである。だが、違う場合もある。

神紋・寺紋も、家紋と共に発達したことはいうまでもない。だから奈良時代や平安時代の初めには、神紋も寺紋もなかった。

仏教が朝鮮半島を経由して日本に入ってきた際、卍、輪宝、七宝、三鈷《さんこ》、独鈷《どっこ》、金剛杖《こんごうづえ》など、仏教と深い関わりを持つ紋様や仏具の類は意匠化されて、自ずと寺紋へと発展したのである。

こうしたものの中に蓮《はす》がある。蓮は泥の中から茎を伸ばし、水の上に大きく葉を浮かせて、赤や白の清楚な花を咲かす。仏陀の誕生の時、その喜びを告げて咲いたという。

そして人間は来世では、蓮の花の上に仏として生まれ変わるとされる。

蓮紋は寺紋の発生する前から、寺院の瓦紋様として、唐草紋様と共に描かれてきた。たとえば、京都の大覚寺《だいかくじ》、奈良・斑鳩《いかるが》の法輪寺《ほうりんじ》などでは、寺紋に「蓮」紋が用いられた。

しかし家紋に「蓮」紋はない。おそらく蓮には現世より来世のイメージが強くあるからだろう。極楽浄土からの迎えを、ずばり「蓮」という。それが、いい例である。

つまり、家紋はあくまでも現世における一族子孫の繁栄を願うものなのだ。こうしたところに、家紋と寺紋の違いがある。

寺には昔から桜が植えられ、春は花見の人びとで賑わう。寺に桜が必ずあるのは、まず日本人が桜好きだからである。加えて、古くから「桜会《さくらえ》」が行なわれていたこととも関係があろう。

桜会は、天平十八年（七四六）二月十六日に良弁《ろうべん》僧正が、奈良の東大寺で公家に奏して諸寺の僧を招き、不空羂索院《ふくうけんじゃくいん》（二月堂）で法華経を講じたことに始まる。やがてこれが年中行事となり、日取りも三月十六日と改められた。

人々は桜会を法華《ほっけ》（花）会とも呼び、にぎにぎしく飾り立て、舞楽《ぶがく》を演じ、東大寺を造った聖武天皇、光明皇后、また娘の孝謙《こうけん》女帝の冥福を祈り、国土の平安を祈った。

桜会は醍醐寺《だいごじ》、仁和寺《にんなじ》、加茂社など京都の多くの寺社でも、平安時代から行なわれるようになった。寺と桜とは縁が深く、桜が寺紋になるのは当然である。

「桜」紋を掲げる寺は仁和寺のほか、新選組と関係の深い壬生寺《みぶでら》、桜をこよなく愛した西行が出家した寺で、花の寺といわれる勝持寺《しょうじじ》など多い。

奈良では桜といえば吉野山だが、ここには役行者《えんのぎょうじゃ》が開いた蔵王堂《ざおう》（金峯山寺《こんぷせんじ》）などがある。また奈良市内には鑑真和上《がんじんわじょう》ゆかりの寺、唐招提寺《とうしょうだいじ》があって、桜紋である（一九七ページを参照）。

ところが「桜」紋は、武士の時代には忌み嫌われた家紋である。その理由は、桜の花の命の短さにあった。「花は桜木、人は武士」といわれ、武士は先祖伝来の土地を一所懸命に守り、家名を子孫に伝えることを最大の誇りとした。

桜は海軍の徽章《きしょう》、階級章となり、「貴様と俺とは同期の桜」と歌われる。桜のようにパッと散ることが美徳とされ、桜は大和魂の象徴となった。

桜のように美しく咲き、見事に散る――それが家門を守るための武士の心意気である。武士はそうあらねばならない。

しかし、家勢がパッと散ってしまっては困る。だから「桜」紋は一門の隆盛を願う家紋としてはふさわしくなく、かえって嫌われたのである。

だが「桜」紋は、桜会などに見られるように、寺紋としては意味のある紋となった。

また神社でも、木花之開耶姫《このはなのさくやひめ》を祭神とする浅間《せんげん》神社は「桜」紋を神紋とする。やがて江戸時代に入り、平和になると、「桜」紋も風雅な家紋として愛されるようになったのだ。

PART 7

呪術オカルト系の家紋

「柊《ひいらぎ》」の紋

葉に秘められた悪鬼を払うパワー

ヒイラギは節分の日、門戸にイワシの頭とともに挿して、悪鬼払いに用いた。宮中では大晦日《おおみそか》の夜、悪霊を払い、疫病を除く追儺《ついな》の儀式[注58]に使われた。

ヒイラギの葉は小さくて厚く、縁にあるギザギザが針状をなし、秋咲く白い花にも香気がある。そのため、呪術に用いるのにかなっていたのだ。古代には、ヒイラギで矛《ほこ》を作ったこともある。これも悪鬼を払うのに格好と見られたからだろう。

紋は葉をデザインしたものだが、撒かれる豆と組み合わせた意匠もある。

■この家紋を用いているのは……山本、五十嵐、市橋、小出、早川、大関、日下部、草野、広沢などの各家。

丸に並び柊

(注58) 朝廷の年中行事の一つ。ルーツは中国にあって、わが国では文武《もんむ》天皇の慶雲《けいうん》三年（七〇六）に始まったとされる。のちに、これが節分の夜に豆を撒いて、禍《わざわい》を払う行事となった。

「桃《もも》」の紋

魔除けとして『古事記』にも登場

中国の『詩経』に、嫁ぐ娘を桃に仮託し、花を結婚、実を生まれる子、枝葉を一家の栄えとする詩がある。中国には菊慈童伝説（八四ページ参照）と同じく、桃の花が流れる谷川の水を飲んで、三百歳まで長生きしたとの故事がある。わが国では平安期、桃酒が病除けに飲まれた。

だが桃は長寿より、むしろ邪気を払う魔除けとしてもてはやされた。伊弉《いざな》諾尊《ぎのみこと》が黄泉国《よみのくに》から逃げ帰る途中、鬼に桃を投げて追跡をかわす。また宮中の追儺儀式では、桃の弓で鬼を払った。

なお桃の家紋は、桃の実を描いている。

■この家紋を用いているのは……桃井、正岡などの各家。

桃

家紋のいろいろ

打板《ちょうはん》紋、法螺《ほら》紋

打板

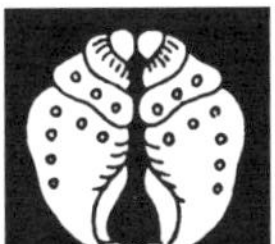
向い法螺

打板は中国の青銅製の楽器で、雲版、朝板ともいう。禅宗では起床、食事、座禅などの合図に使った。

法螺は、山伏が持つ法螺貝のこと。山中にあって、自らの居場所を知らせる一方、悪魔を降伏させ、敵を退散させる力があると信じられた。戦いの合図にも用いられた。

■この家紋を用いているのは……「打板」は小菅、杉原、松波、安藤などの各家、「法螺」は吉野、石井などの各家。

「南天《なんてん》」の紋

慶事にぴったり、吉兆の植物

ナンテンは冬に赤い小さな実がなって、この実がいつまでも落ちない。また茎が真っ直ぐ伸びて、葉が上部に集まり、お正月など慶事の切り花としてうってつけである。日本の原野に自生する種類もあるが、中国から帰化したものが主流だ。

実を乾燥させた漢方薬は喘息《ぜんそく》、百日咳《ひゃくにちぜき》の咳止めに効く。また成長した材は黄色く、床柱《とこばしら》にされた。古《いにしえ》の日本人は、ナンテンを「難点」とは見ず、「難を転ずる」と受け取った。良いほうに語呂合わせをして、厄除けの紋としたのである。

■この家紋を用いているのは……岸、榎本、南などの各家。

南天車

家紋のいろいろ

結綿《ゆいわた》紋

丸に七五三の結綿

江戸中ごろの享保《きょうほう》期、歌舞伎の瀬川菊之丞は、名女形《おやま》として人気を博した。菊之丞は、「丸に七五三の結綿」と呼ばれる紋を用いた。

瀬川家は代々養子を迎えて菊之丞を襲名し、女形を演じる家として、江戸時代、名を馳せ続け、結綿紋も有名になった。

この結綿は真綿を重ね、真ん中で縛った形で、結婚などの祝い事に欠かせなかった。それよりも古くから、神への供え物とされた。形が面白く、美しい構図もあって家紋になった。

■この家紋を用いているのは……石渡、里見などの各家。

「大根《だいこん》」の紋

歓喜天《かんぎてん》に捧げる供物

徳川五代将軍・綱吉《つなよし》の生母を桂昌院《けいしょういん》という。幼い日、彼女の父親は落ちぶれ、京の町を天秤《てんびん》を担いで野菜を売り歩いた。彼女はその野菜の詰まった前籠《まえかご》にちょこんと座って、一緒に回った。

その少女が将軍の母となり、実弟の本庄宗資《むねすけ》も出世して、宮津城五万石の城主になった。宗資が姉に定紋の相談をすると、父が八百屋だったことを忘れないためにと大根紋を勧められた。それが本庄氏の家紋になったのである。

大根は歓喜天[注59]が最も喜ぶ供物だ。またの名を蘿蔔《らふく》ともいう。春の七草の一つである。

■この家紋を用いているのは……本庄、富田、桂川などの各家。

本庄氏の大根

（注59）巷間での通称を「聖天《しょうてん》」という。古くはヒンドゥー教の最高神、シヴァ神の別名とされていた。だが、その後、仏教においては、シヴァの子供のガネーシャと目されるようになった。

「茗荷《みょうが》」の紋

「冥加」＝神仏の加護に通じる家紋

ミョウガはショウガ科の多年草で、林に自生する。香りがあって、味噌汁、酒のつまみ、漬物などでお馴染み。茗荷は「冥加」に通じるという語呂合わせから、めでたい紋になった。ちなみに冥加とは、知らず知らずのうちに、神仏の加護を受けることをいう。

茗荷紋は杏葉《ぎょうよう》紋と混同されやすい。それもそのはず、杏葉紋は意匠を茗荷紋に似せて、冥加の御利益《ごりやく》を得ようとしたものだからだ。なお、茗荷紋はミョウガの花をデザインしている。

■この家紋を用いているのは……二宮、鳥羽、稲垣、小沢、矢田、糸川、川口、中村、大塚など多数。

抱き茗荷

家紋のいろいろ

縢《ちきり》紋

縢

「千切」とも書く。織機の部品の一つで、経《たて》糸を巻く中央の部分がくびれた棒状のもの。織機に欠かせない部品として紋様になった。そして、木や石をつなぐために埋め込むカスガイを縢締《ちぎりじめ》ともいい、縢紋にカスガイの意味を含ませ、「契《ちぎり》」に通じるめでたい紋としたようだ。

この紋様はすでに平安時代にあって、室町時代には家紋として広く普及していた。軍記物にも記述が見える。

■この家紋を用いているのは……松平、千村、岩波、小城、川口、若林、丹羽、三木、岩村などの各家。

「沢瀉《おもだか》」の紋

武将が好んで用いた理由《わけ》

オモダカは、池の畔《くろ》や水田などの湿地に見られる多年草だ。夏に白い三弁の花を付ける。オモダカは、葉が矢の形に似ているからであろう、「勝草《かちぐさ》」といって、武将には縁起のいい植物だった。

紋様は平安時代の牛車《ぎっしゃ》にすでに見られ、源平時代に流行した。時代が下って、福島正則がこの紋を用いた。また天保の改革の推進者、老中・水野忠邦の紋でもあった。忠邦は印旛沼《いんばぬま》（千葉県）の開墾政策に失敗して、「泥沼の深き工夫も水の(水野)泡　根本が折れて枯れるおもだか」と狂歌に詠まれた。

■この家紋を用いているのは……毛利、木下、松崎、土井、奥平、酒井、稲垣、堀など多数。

沢瀉

「栗《くり》」の紋

戦さに欠かせない縁起ものの果実

縄文中期の大集落、三内丸山《さんないまるやま》遺跡（青森県）から巨大な栗の柱跡が見つかり、しかも食用の栽培栗の存在も分かった。日本には、太古から大粒の栗があったのだ。これを干して臼《うす》で搗《つ》き、皮・渋皮を取り除いたものを「搗栗《かちぐり》」といった。それを武士たちは「勝栗」と称し、縁起ものとした。出陣に当たっては、神に栗を供えて戦勝を祈った。

日本統一の最後の仕上げに奥州へ向かった秀吉は、宇都宮で搗栗を農民からもらい、縁起がいいと大喜びしている。なお紋は、実と葉をかたどる。

■この家紋を用いているのは……柴崎、小栗などの各家。

栗

家紋のいろいろ

輪《わ》紋、輪貫《わぬき》紋

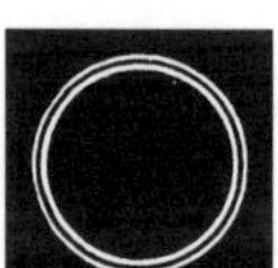

二重輪

輪紋は輪をかたどったもので、一重輪だと餅紋（黒餅）と同じになる。二重輪にして輪の間を白抜きにすると、蛇の目紋にもなる。三重輪はその名にちなんで、三輪氏が用いた。江戸時代に入って、家紋を丸形で囲むようになり、輪紋は家紋の枠として用いられた。「輪」は「和」に通じて、丸は限りない前進を意味し、縁起がよかった。

輪貫紋は輪の中を抜いて、白地になった部分を色で染め出したものをいう。

■この家紋を用いているのは……「輪」は揖斐《いび》、牛窪《うしくぼ》、三輪などの各家、「輪貫」は高原、東条、遊佐などの各家。

「蜻蛉《とんぼ》」の紋

日本の古名「秋津洲《あきつしま》」とは？

トンボは「勝虫」と呼ばれ、武士に愛された。神武天皇が大和に入って国見をした際、「蜻蛉がつがった形をしている」と言ったことから、日本を秋津洲というようになった。『日本書紀』には、そのように記されている。雄略《ゆうりやく》天皇が葛城山《かつらぎさん》（大阪府と奈良県の境）で狩猟をした時、アブが肘《ひじ》に止まったのを、素早くトンボが襲って食べた。天皇は喜び、トンボを褒める歌を作らせた。

トンボには攻撃性があり、なおかつ益虫であることから、武具の飾りに用いられた。武蔵七党の一つ、村山党の金子氏がこの紋を用いた。

■この家紋を用いているのは、金子家のみ。

向い蜻蛉

「安倍晴明判《あべのせいめいばん》」の紋

星の霊力で悪魔を撃退

平安中期の陰陽師《おんようじ》・安倍晴明が用いた☆印。陰陽道の根本は星の信仰で、星の霊力により悪魔を退け、福を招こうというもの。陰陽五行《いんようごぎょう》思想[注60]の「木《もく》」、「火《か》」、「土《ど》」、「金《きん》」、「水《すい》」を結ぶと星の形となる。これを一筆書きにすると、魔の入り込む余地がないとされた。

五芒星《ごぼうせい》章（☆）は、古代ギリシャで「ペンタグラム」と言い、呪符の基本形になった。そして欧州では、軍隊が☆印を弾丸除けの符号とした。明治の初めに日本陸軍ができた際、フランスの制度を取り入れた。そのため、☆印が陸軍の徽章となった。

■この家紋を用いているのは……酒匂《さかわ》、市川などの各家。

安倍晴明判

（注60）「太極わかれて陰陽となる。陰陽、さらに五行を流出す。五行、化して万物を生ず」。中国の古い書物は、このように述べている。

「原始星雲が分裂して、陰陽二気の宇宙エネルギーとなった。陰陽二気の宇宙エネルギーから、さらに五行が流れ出た。こうした五行の相互作用が、地球上の万物を生んだのである」。

かいつまんで言えば、これが陰陽五行思想だ。

五行とは、「木」「火」「土」「金」「水」の五元素を指す。「この世の森羅万象は、これらの五元素によって形成される」というのが、陰陽五行思想の世界観なのである。

「九字《くじ》」の紋

除災招福の呪符が家紋に

☆紋を安倍晴明にちなんで「セーマン」と呼ぶ。これに対して、九字紋も陰陽師・蘆屋《あしや》道満《どうまん》[注61]の判ということで「ドーマン」と称する。

九字とは、中国の古い兵法に基づく。これは「臨《りん》、兵《ぴょう》、闘《とう》、者《しゃ》、皆《かい》、陣《じん》、列《れつ》、在《ざい》、前《ぜん》」と一字ずつ唱えながら、十字を切るというもの。そうすると、どんな災いも免れるとされ、密教僧、忍者などが用いた。よって九字紋様はお守りになり、除災招福を願う呪符から家紋となった。

■この家紋を用いているのは……遠山、加藤、伊丹、賀茂宮、波多野などの各家。

九字

（注61）平安朝の伝説によれば、安倍晴明の宿敵である。清明にしばしば法術くらべを挑んで、暗闘・死闘を演じたという。

「籠目《かごめ》」の紋

『日本書紀』にも記された護符

正三角形を互いに反対向きに重ね合わせたもの。イスラエルの国旗、ダビデの星と同じ形をしている。伊勢・神島《かみじま》の海女《あま》の魔除けの紋でもある。籠目紋は竹で編んだ籠の目に似た形から、その名がついた。

籠目は鬼も恐れるとして、かつては門戸に吊るす風習があった。これは九字の呪符の代わりに用いられたようだ。山幸彦《やまさちひこ》が海宮に入る際、この籠目で乗り物を覆って海底に至ったと『日本書紀』にある。紋様としては、すでに鎌倉時代にあった。

■この家紋を用いているのは……小宮山、曲淵《まがりぶち》などの各家。

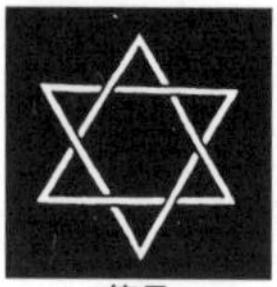

籠目

「九曜《くよう》」の紋

古代インドで占いに使用

この「九曜」の家紋は、中央に大きな星を置き、回りに小さな八つの星を配する。日・月・火・水・木・金・土の七曜星に羅睺《らごう》と計都《けいと》の二星[注62]を加えて、九星を表わす。この九星は、もともと古代インドで占いに用いられた。また、平安朝の陰陽師はこれを人の生年に配列して、運命や吉凶を占った。

この点で九曜は呪術紋にも入るが、仏教と結びついて、天地四方を守護する紋となった。つまり、仏教と呪術の両面から護符紋として、平安期に貴族の牛車に用いられたのである。

熊本城主・細川宗孝は、延享《えんきょう》四年（一七四七）、江戸城内で人違いによって殺された。安中《あんなか》城主の板倉勝清を殺そうとした分家の勝該《かつよし》が、九曜巴の板倉の紋を細川九曜と勘違いして、宗孝を斬ってしまったものだ。以後、細川家は八星を中心の星から少し離した紋に改めた。

■この家紋を用いているのは……細川、松平、桜井、吉田、青野、佐久間、土屋、岡田、山田、比留間、青木、村上、飯田、相馬、佐野、大久保、関、反町《そりまち》、町野など多数。

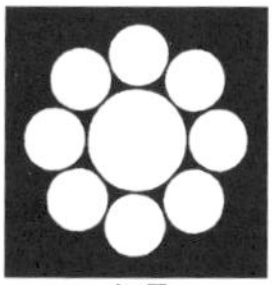
九曜

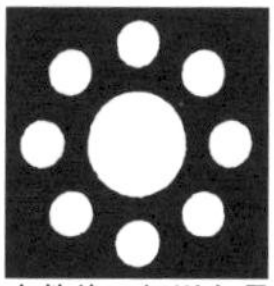
事件後の細川九曜

（注62）羅睺星の化身を「黄幡神《おうばんしん》」と呼ぶ。また、計都星の化身を「豹尾神《ひょうびしん》」と称する。いずれも、すこぶるつきの凶神だ。

なお西洋占星術では、羅睺星のことを「竜頭＝ドラゴン・ヘッド」と言い、計都星のことを「竜尾＝ドラゴン・テイル」と表現している。

「鱗《うろこ》」の紋

わが国の伝統的な魔除け紋

鱗といえば魚と思いがちだが、これは蛇の鱗である。原始美術にすでに見られる、伝統的な日本の魔除け紋だ。

『太平記』によれば、鎌倉幕府の創業の昔、北条時政が江ノ島に参籠《さんろう》して、子孫繁栄を祈った。すると、二十一日目の夜に、美しい女房が現われ、「汝の前世の善根により、子孫繁栄し、日本の主となろう」と予言した。そして、たちまち大蛇に変わって海中に消えた。その跡に鱗が三つ落ちていたので、喜んで旗紋にしたとある。

■この家紋を用いているのは……北条、平野、江間、岡田、清水、宮川、岡野、三浦、熊沢など。

三つ鱗

家紋のいろいろ

杵《きね》紋

丸に並び杵

よく月には兎が棲んでいて、餅搗《もちつ》きをしている頭が見えるという。その兎が持つのが、中央部分がくびれた手杵と呼ばれる種類の杵だ。上下がまったく同じ形をしていてシンプルなのが、家紋として好まれたのだろう。二つの杵を十字もしくは×形にすると、美しい紋になる。

旗本の駒木根氏が杵を家紋としたのは、コマキネと読む苗字にちなむ。商人が杵屋などの屋号とともに、商標としても用いた。

■この家紋を用いているのは……杵屋、駒木根、杵淵、伊藤、近藤、松倉、桂川などの各家。

「蛇《じゃ》の目《め》」の紋

蛇には強い呪力がある!?

弓弦《ゆみづる》を巻いておく弦巻《つるまき》から起こったともいう。しかし、もともとはヘビの目であり、強い呪力があると信じられた。

八戸城の南部氏（後の遠野藩）は白地に赤く、二つの蛇の目を縦に描く旗を用いた。また南部氏の先祖は日蓮を庇護し、日蓮から「南無妙法蓮華経」の真筆と一緒にその紋をもらった。身延山《みのぶさん》の守護神・七面天女[注63]は竜神で、これは蛇の目で表現されたのだ。日蓮宗に帰依していた加藤清正も鎧の紋とし、陣幕にも用いた。

■この家紋を用いているのは……加藤、細川、戸田、松平、石川、京極、佐野、滝、中田などの各家。

蛇の目

（注63）正式には、七面大明神と称する。身延山には日蓮宗の総本山、久遠《くおん》寺《じ》があり、七面大明神はこの寺に祀られている。昔から鬼子母神《きしもじん》などとともに日蓮宗の守護神として尊崇され、多くの信者を集めてきた。

「獅子頭《ししがしら》」の紋

豊作と健康をもたらす幸運の家紋

新年の祝いに行なわれる獅子舞。これに用いる獅子頭をデザインしたもの。

この紋には、悪魔を払って、家族が健康であること、また天災などを寄せつけず、五穀豊穣を祈禱するという意味がある。

獅子頭は唐から伎楽《ぎがく》注64とともに伝わり、平安時代に大寺の仏会《ぶつえ》における舞楽に用いられた。やがて和風化し、田楽《でんがく》に取り入れられ、大神楽《おおかぐら》の獅子舞に変わった。

その後、各地の祭礼などで庶民の間に溶け込み、二人一組で門付《かどづ》けして回る姿は、長く正月の風物詩として愛された。

■この家紋を用いているのは……本間家のみ。

獅子頭

（注64）笛、三鼓（さんのつづみ）、銅《どう》拍子《びょうし》の伴奏による無言の仮面劇。インド・チベット地方で発生したと推測される。

「扇《おうぎ》」の紋

「末広がり」が開運に通じる

いかにも日本的な紋である。扇子は日本で発明され、中国どころか欧州にまで伝えられた。扇子は末広がりに開くことから、縁起がいいとされた。徳川家康は「五本骨の金扇《きんせん》」を関ヶ原合戦などで、本陣に高く掲げた。金扇には日の丸が描かれ、太陽の光がこの扇に降りそそいで、勝利を得ることを祈念するものであった。

佐竹氏は源頼朝の奥州・平泉攻めに馳せ参じた際、無紋の白旗が頼朝と同じなのを咎《とが》められ、「五本骨の月丸の扇」を賜って、以後これを家紋とした。

扇紋は種類も豊富で、開扇、畳み扇、骨反《ほねぞ》り扇があり、他に地紙《じがみ》、扇の骨だけの紋もあった（二九ページを参照）。

檜扇《ひおうぎ》は王朝の雅《みやび》を十二分に感じさせる紋である。家紋として武将にも気に入られ、丹羽、山崎、秋田氏などが用いた。

■この家紋を用いているのは……「扇」は佐竹、松平、大河内、若林、石川、平井、中村、長谷川など、「檜扇」は内田、小坂、後藤、丹羽など、いずれも多数。

日の丸扇

檜扇

家紋のいろいろ

永楽銭《えいらくせん》紋

永楽銭

織田信長は金、銀、銅の異なる貨幣の交換比率を初めて定めるなど、優れた経済感覚を持っていた。その信長は、当時の基本通貨だった永楽銭（中国からの渡来銭）を旗印にした。銭さえあれば、傭兵から鉄砲まで手に入れられるという、実利を重んじた紋である。「永楽通宝」の文字も縁起がよかったからだ。

家康の母の実家の水野氏は織田家に仕え、永楽銭の紋を用いた。だが、家康から文字のない貨幣の裏の意匠を使えと命じられ、裏永楽銭にした。

■この家紋を用いているのは……織田、水野、荒尾、黒田、細田、本郷、青山、梶野などの各家。

「釘抜《くぎぬき》」の紋

「九城《くき》を抜く」として武将に喜ばれる

釘や釘抜がなぜ家紋になるかといえば、クギヌキの音が「九城を抜く」に通じて、縁起が良いからだ。そして、武将たちはこの紋にあやかって武功を立て、立身出世し、家を繁栄させようと願ったのである。また「釘を打つ」という言葉に「敵を討つ」を重ねもした。

なお釘抜紋は、奴さん（武家の下僕）の紋としても有名だ。

■この家紋を用いているのは……「釘」は天野など、「釘抜」は三上、木村、横田、伊庭《いば》、一柳など多数。

丸に釘

釘抜

家紋のいろいろ

兎《うさぎ》紋

向い兎

『延喜式《えんぎしき》』は中瑞《ちゅうずい》（四ランクの三番目）として白兎を挙げ、「月の精にして、その寿千歳」としている。法隆寺の「天寿国曼陀羅《てんじゅこくまんだら》」には兎の刺繍《ししゅう》があり、因幡《いなば》の白兎は神としても祀られている。

波紋（波形の紋）の一つに、月の精として波間を走る兎をデザイン化したものがある。これを見ると、兎そのものを一匹、あるいは二匹、けっこう写実的に表現している。

兎紋には不老不死の思いが込められている。だが、太陰暦のもととなる月の運行のシンボルとして、農耕紋の性格もある。

■この家紋を用いているのは……三橋、寺尾、水島などの各家。

「槌《つち》」「梯子《はしご》」の紋

開運と出世を願って使用

槌は大黒天[注65]の持ち物で、打出の小槌は縁起がいい。また金槌と木槌の両方が家紋になるが、槌は物を打つもので、釘同様に「敵を討つ」につながると喜ばれた。

梯子は、高い所に登るための道具である。上に登れば、人の上に立った心地好さがある。つまり、出世を願う紋であった。

■この家紋を用いているのは……「槌」は各務《かがみ》、南条、船越などの各家、「梯子」は牧野、田口などの各家。

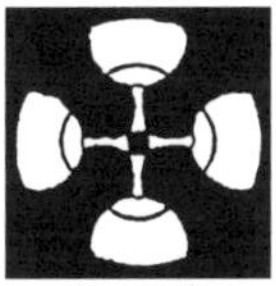
四つ横槌

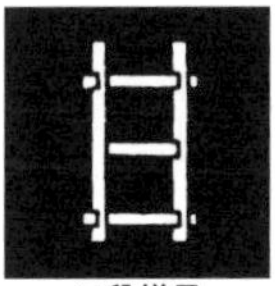
三段梯子

（注65）サンスクリット語では、「マーハーカーラ」と言う。仏教の守護神だ。わが国では、七福神の一員とされている。

「餅《もち》」の紋

黒餅《こくもち》は「国《こく》持ち」に通ず

餅は祝い事や神への供え物として用いられ、延命長寿の印にもなった。だが、これが縁起紋となったのは、黒餅紋を武士が好んだからだ。米が給料の基本であった武士は、「黒餅」という言葉が「石持ち」につながり、石高を増やせると喜んだ。さらに「国持ち」にも通じた。その黒餅紋は色のつかない日の丸のようで、いたって単純素朴な紋である。

黒田長政は少年時代、竹中半兵衛に命を救われたことを感謝して、半兵衛の紋だった黒餅を自分の代表紋にした。

■この家紋を用いているのは……黒田、竹中、谷、浅野、五十嵐、安倍、島田、田沢、市橋などの各家。

黒餅

家紋のいろいろ

鷺《さぎ》紋

小泉八雲の鷺

姫路城を白鷺城という。また京都の祇園祭では、鷺舞の神事がある。この鷺舞は、山口・津和野にも残る。

サギの純白の美しさは、人を魅了する。銅鐸《どうたく》に描かれる足長の鳥は、ツルではなく、サギともいわれる。弥生時代には、サギは稲魂《いなだま》（穀霊）を運ぶ鳥と見られていた可能性が高いという。サギは、東京・佃島の住吉神社などで神紋となっている。

この鷺を家紋としたのは、明治時代の小説家で、英文学者のラフカディオ・ハーン、つまり日本に帰化した小泉八雲。旧姓ハーン＝ヘロン（鷺）にちなんで紋にしたといわれる。

■この家紋の使用家は不明。

「枡《ます》」の紋

「増す」との語呂合わせから家紋に

枡は米など穀物の分量を計るもので、方形の木製品である。百姓は悪徳代官などに枡の大きさをごまかされ、それが一揆を起こしたりする原因となった。いわば、枡は政治と結びついていたのだ。それだけに、正しく作られた枡は正義を象徴するものだった。

家紋では「増す」に通じる縁起が買われ、商人も屋号や商標によく用いた。歌舞伎の市川団十郎の当り狂言「暫《しばらく》」の大紋・三枡《みます》によって、枡紋はすっかり有名になった（六五ページを参照）。枡の中に対角線（弦）を入れた紋が多い。

■この家紋を用いているのは……岩田、服部、市川、枡田、丹治、中山、黒田、大関、福富などの各家。

枡

「熨斗《のし》」の紋

「延長悠久」を意味する吉祥紋

熨斗とは、アワビの肉を薄く剥いで、長く引き伸ばしたもの。熨斗は「延《の》長《し》」という意味で、〝延長悠久〟の思いが込められ、吉祥の家紋とされた。

そもそも、アワビは古代から祭祀に用いられた食べ物。大嘗祭《だいじょうさい》や伊勢神宮の神嘗祭《かんなめさい》[注66]など、重要な神事にも供えられる。戦国時代には、武運長久を祈願して、出陣や帰陣の祝儀にも用いられた。

また金の束熨斗《たばねのし》を佐々成政が旗印に使うなどしている。家紋の場合も、主に束ねた熨斗をデザインする。

■この家紋を用いているのは……河野、関柴、奈佐、牛込、太田、福本などの各家。

抱き結熨斗

(注66) 大嘗祭は、天皇が即位後、初めて行なう新嘗祭《にいなめさい》。その年の新穀を献じて、自ら天照大神と天神地祇《てんじんちぎ》を祀る、一代一度の大祭。また神嘗祭は、当年の新穀を天照大神に奉る伊勢神宮の祭儀。

なぜ「桃」は霊験あらたかと言われるのか

易《えき》占いは呪術性に富んでいる。陰陽道に欠かせない「八卦《はっか》」「算木《さんぎ》」も家紋になっている（一二九、一三五ページを参照）。

また、いつまでも赤い実が落ちない「南天」は、百日咳や喘息に効く薬となることから、魔除け紋となった（一五二ページを参照）。

「桃」も邪気を払う果実とされ、家紋になった。桃太郎の鬼退治で知られるように、桃は悪鬼を払う。また病気を寄せ付けない効用があるとされる（一五一ページを参照）。

大晦日《おおみそか》の宮中儀式の追儺《ついな》では、殿上人《てんじょうびと》が桃の弓で舎人《とねり》が扮する鬼を追い払った。

時代が下って、関ヶ原合戦では、徳川家康が縁起を担いで、桃配山《ももくばりやま》に陣した。この桃配山は、壬申《じんしん》の乱のゆかりの地でもある。乱の折に、天武天皇が「これを食べて戦えば、勝利は間違いなし」と地元民がくれた桃を、兵士に配り、その霊力を借りて勝利した。そうした伝説の地だ。

家康は本陣をここに置き、戦いに勝利を得て、天下を手にした。

天武天皇も家康も桃の呪力を借りて、最高権力者になったのである。「桃」紋は、こうしたパワーを持った紋である。

「柊《ひいらぎ》」紋も、またしかりである。柊は矛《ほこ》を作るのに用いたと、『日本書紀』にある。

節分の時、イワシの頭と共に柊を門口に突き立てて、悪気を払った。柊の常緑の葉先に鋭い刺《とげ》のあることが、魔を寄せ付けないと考えられた（一五〇ページを参照）。

ちなみに、静岡県芝川町の富士山本門寺に、本能寺の変で死んだ織田信長の首塚がある。その墓標は柊である。首を奪おうとする者から刺《とげ》が守ってくれるとして、柊が植えられているのである。

十字を切るのは魔除けの呪術

魔除けの呪符紋には、世界共通のものが目立つ。キリストの十字架（十）、ヒトラーの鉤十字《かぎじゅうじ》（卐）、ユダヤのダビデの星（✡）、空に輝く五芒星《ごぼうせい》（☆）など。

そういった紋様はシルクロードを通って東洋に来たのか、または中国、あるいは日本で偶然同じデザインが生まれたのか、定かではない。だが、きわめて強い呪術性を秘めて、日本の生活の中にも浸透し、今も生き続けている。

「十字」紋というと、すぐキリシタンが用いたと思いがちだ。しかし、これは完全な間違いで、十字紋様はキリスト教の誕生以前からあったものである。

吸血鬼ドラキュラは十字を苦手とする。十字を切ることは、魔除けの呪術である。江戸時代の実用書、『貞丈雑記《ていじょうざつき》』には「手の中に、指の先で十字を書いて、握って行けば、災いを除き、幸いがあるという」と出てくる。

栃木県などでは昔、臼の下に藁を十字に敷いておいて、餅を搗《つ》いた。この餅を妊婦に食べさせると安産だという風習があった。秋田では小さい子供が外に出る時、母親が指頭で額に十字を切ってやって、外で事故に遭わない〝まじない〟とした。

青森県新郷《しんごう》村戸来《へらい》では、すくすく育つよう、赤ちゃんの額に十字を書いた。そのことが、新郷村でキリストが十字架に架けられて死んだという、不思議な誕生伝説のもととなったようだ。

十字は災いを除き、福を招く呪術として、昔の日本に浸透していた。おのずと「十字」紋もその性格を持つ。「卍」紋は蜂須賀氏や津軽氏の家紋である（二一八ページを参照）。これを四十五度傾けて、裏返しにすると、ハーケンクロイツとなる。ドイツ・ナチ党の党旗であり、あまり良い印象が持てなくなる。しかし、卍は太陽が光を放つ形を象徴化したものとされる。

サンスクリット語（古代インドの言語）では、この卍は幸福や吉瑞《きちずい》を意味するといい、仏像の胸や足などにも描かれる。「卍」紋は「十字」紋と同じで、災いを払い、福を呼び寄せる呪符紋である。

PART 8

長寿&健康をめぐる家紋

「月星《つきほし》」の紋

星神信仰の一つ、「妙見《みようけん》」に由来

欠けた月の中に、小さな星を丸く描く紋。桓武平氏、平良文《たいらのよしふみ》の支流である千葉氏の代表紋だ。千葉常胤《つねたね》は源頼朝の挙兵に一族を率いて参加し、下総《しもうさ》、上総《かずさ》ほか多くの所領を得た。千葉氏は星神信仰の一つである妙見を守護神とした。

妙見とは、北極星を神格化したものである。北極星は、地球の自転に左右されることのない、不動の星として崇められた。月星紋はこの信仰を示す。千葉氏の月星紋の伝承は、妙見信仰に加えて、平将門[注67]伝説、羽衣《はごろも》説話の三者が一体となっている。

妙見社を氏神とする千葉氏の月星紋には、延命長寿、息災招福の願いが込められている。千葉県を中心にして、関東にこの紋が多い。

■この家紋を用いているのは……千葉、相馬、東、遠藤、宮城、村岡、中村、和田の各家。

月星

（注67）？～九四〇年。平安中期の武将。天慶《てんぎょう》二年（九三九）、乱を起こし、常陸《ひたち》・上野《こうずけ》・下野《しもつけ》などの国府を占領し、中央朝廷とは別に除目《じもく》（諸臣の任官の儀式）を行なう。しかし翌年、平貞盛によって討滅された。

「七曜《しちよう》」「六曜《ろくよう》」の紋

延命息災の願いが込められる

七曜は大熊座にある北斗七星を表わしたもの。前項の月星と兄弟紋といえる。九曜紋に似ているが、意味はまったく違う。星を示す七つの円は、中心円も周りの六つの円も、すべて同じ大きさである。

七曜には延命長寿、息災招福の願いが込められている。また六曜の六つという数には、別に意味はない。星神崇拝の妙見信仰から生まれたものである。

■この家紋を用いているのは……「七曜」は松平、中川、伊丹、揖斐《いび》、蜂屋、小坂、赤松、石野、都筑《つづき》、天野、九鬼、星野、神、館、猪股などの各家、「六曜」は関口、戸田、多田、鶴見、石野などの各家。

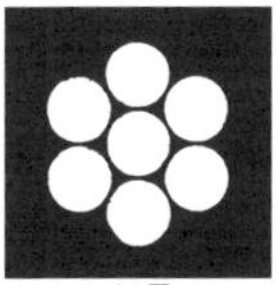

七曜

月に北斗七星

「洲浜《すはま》」の紋

古くから、不老長寿の人気紋

神仙思想に基づく家紋である。浜辺にできる洲を蓬莱山《ほうらいさん》（中国の伝説で、仙人が住むといわれる霊山）に見立てたものだ。祝儀などの飾り物に、蓬莱飾りと呼ばれるものがある。その蓬莱飾りの台を洲浜台という。このめでたさにあやかって、洲浜は不老長寿の人気紋となった。結婚式の装飾に用いる島台は、洲浜に由来している。

この紋は北関東に多い。中世、常陸《ひたち》国の守護で藤原道兼の後裔とされる小田氏と、一族の宍戸《ししど》氏の代表紋である。

■この家紋を用いているのは……小田、宍戸、安田、中条、土田、宮川、山田、守山、横山、関本、長山、真田、塙《はなわ》、小林、北条などの各家。

洲浜

家紋のいろいろ

柿《かき》紋

抱き柿の葉

柿は十世紀に編纂された『延喜式』に、菓子類として記述され、宮中の御《み》園《その》で栽植されていた。柿は、年越しに神社で供え物とするところが少なくない。

この紋は幕末、土佐の志士・武市《たけち》半平太が用いた。家紋関係の諸本では、四弁の花を紋様にしたと書く。だが、筆者の高知での現地取材では、実を紋にしたとも聞いた。信仰がもとにあって紋になったと想像されるが、不明である。

■この家紋を用いているのは……武市家のみ。

「松《まつ》」の紋

日本人にとって馴染みぶかい瑞木《ずいぼく》

松は常磐木《ときわぎ》で、長寿の瑞木。千歳の命があるという鶴も、この木に飛来するとされた。

公家・日野家の車紋には、松に鶴が描かれる。『源氏物語』の「初音」の巻では、新年の子《ね》の日に、子供たちが庭の小松を引いて、長寿を願う遊びをする様子が描かれている。

家紋としては、松全体をデザインしたもの、枝葉だけのもの、さらに松笠、若松、老松、三つ縦重ねの三階松など、図柄は変化に富む。当然、苗字に「松」が入る家に、この紋が多い。

■この家紋を用いているのは……松本、西、若林、石原、赤松、長谷川、小笠原、西尾、河合などの各家。

三階松

「銀杏《いちょう》」の紋

別名の「公孫樹」が意味するもの

東京大学の校章は銀杏である。徳川家康の先祖の紋ともいわれる。イチョウは中国からの帰化植物だ。

巨木になって長い寿命を保つこと、また実は孫の代にならないとできない。そんなところから「公孫樹《こうそんじゅ》」とも書かれる。

その紋は長寿繁栄の意味を持つ。イチョウの葉は水分を多く含んでいるため、火除けの木とされた。そのことも、家紋にする際の重要な要素になっただろう。

銀杏紋は葉をかたどったもので、巴や鶴の形にしたものもある。

■この家紋を用いているのは……飛鳥井、荒川、青木、大森、大岡、藤本、林、竹村などの各家。

丸に三つ銀杏

家紋のいろいろ

宝結《たからむす》び紋

宝結び

紐の飾り結びの一つに「宝結び」がある。これは宝珠形にした結び方で、おめでたいものとされる。

宝結びには、華鬘《けまん》結び、胡蝶《こちょう》結び、鍬形《くわがた》結びなどがあって、それぞれ家紋となっている。

但し、使用家は決まっていない。多くの家で替紋や控紋として用いられたようだ。

「芹《せり》・薺《なずな》・蕪《かぶ》・五行《ごぎょう》」の紋

七草もそれぞれ家紋に

正月の七日、春の七草を入れた粥《かゆ》を食べると、その一年、病気をしないで息災に過ごせ、長寿を得るという。中国から伝わったこの風習は、日本にも根づいた。春の七草とは芹、薺、五行（御形）、ハコベ、仏座《ほとけのざ》、菘《すずな》、蘿蔔《すずしろ》である。このうち、蘿蔔は大根（一五三ページを参照）のことで、菘は蕪に当たるといわれる。

田の畔《あぜ》や湿地に自生する芹は、葉と根がデザイン化された。薺はペンペン草のこと。雑草だが、解熱、止血、利尿作用がある。五〜八枚の葉を放射状に配列し、外に雪輪（一一九ページを参照）をかぶせると、きれいな紋になる。蕪は、根の太い天王寺蕪《かぶら》を家紋に用いる。五行は、餅の材料ともなる。さらに薬になり、厄除けにもなっている。但し、この家紋がどんな形をしていたかは、今に伝わっていない。

■この家紋を用いているのは……「芹」は薗部《そのべ》、土方など、「薺」は畠山、京極、丹羽、朝倉、八木、中根など、「蕪」は塚原、若菜、「五行」は柴田の各家。

芹

真向き蕪

八つ薺車

雪輪に六つ薺車

「蕨《わらび》」の紋

萌え出る新芽の躍動感が好まれた

蕨は、岩の間を勢いよく流れ落ちる水辺に芽を出す。この蕨は、春の訪れ、命の復活を何よりも早く教えてくれる。

蕨は、平安時代にも食用とされていた。根を粉にして作った蕨餅は、街道の茶屋で休憩する旅人の疲れを癒した。蕨の萌え出る躍動感から、器物や調度の紋様となり、やがて家紋に転化された。

■この家紋を用いているのは……和田、上遠野、近藤、落合、村山、小出、杉浦などの各家。

石持ち地抜き
三本蕨

家紋のいろいろ

蒲公英《たんぽぽ》紋

蒲公英

タンポポは野につつましやかに自生し、春から夏にかけて黄色い花を咲かせる。紋はその素朴な風姿を尚美的な意味を込めて表現する。花と葉、茎、根を円形の構図の中にすべて写実的にまとめている。全体を描くデザインは、家紋としては珍しい。

花言葉は「幸福を知らせる花」。葉は食べられ、根は薬になる。解熱、発汗、健胃の働きがある。漢方薬は「蒲公英」と称する。

『寛政重修諸家譜《かんせいちょうしゅうしょかふ》』（一一一ページを参照）では、この紋を使用するのは、清和源氏の流れを汲む木村氏のみとされている。

「歯朶《しだ》」の紋

家紋となっているのはウラジロ

シダ類は世界に一万種もある。茎は土中にあって、生命力が強い。歯朶はシダ類の総称で、紋になっているのは、正月の門飾りにも用いられる裏白《うらじろ》という種類。ちなみに「歯」は齢を、「朶」は枝を意味する。枝は長く伸びることから、長生きを示し、青い緑のシダの葉とともに長寿を表わす。

静岡県の浜松城は、若き徳川家康の出世城として知られている。この城には、シダを手にする家康の銅像がある。シダはまた兜の前立てに使われた。平家討滅のさきがけを担った源頼政は、剣にこの紋様を用いた。

■この家紋を用いているのは、芥川ただ一家。

三つ歯朶

「鶴《つる》」の紋

瑞祥の渡り鳥として家紋の代表格に

鶴は家紋を代表する鳥である。不老不死の仙人に侍する鳥として知られ、中国から伝わった「鶴千年」の思想に基づいている。

鶴は不老不死の紋であるが、農耕紋でもある。鎌倉時代の『倭姫命 世記《やまとひめのみことせいき》』には、葦原で鳥が鳴き騒ぐので行ってみると、真名鶴《まなづる》が穂の実った一本の稲をくわえていたと記す。

稲作は鶴によってもたらされたという伝承が、日本各地にある。鶴はその優美な姿とともに、不老不死と実りの両方をもたらす、瑞祥の渡り鳥とされたのだ。

平城京跡で発掘された長屋王の邸宅地から、鶴二羽に与える米四升を受け取ったと記す木簡《もっかん》が発見された。また側溝《そっこう》から、丹頂《たんちょう》であろう、空に舞う鶴を描いた墨画土器も出土した。貴族が昔、鶴を飼っていたことは諸本にも出てくる。

公家の日野氏は、足利将軍・義政の妻で、女ながらも室町幕府を支えた富子の実家である。この日野氏は「松に鶴」を車紋にした後、鶴丸を家紋とした。両羽を大きく広げた鶴丸が、この紋の基本。

飛ぶ姿を舞鶴紋、飛び立つ姿は昇り鶴紋、舞い降りるのは降り鶴紋、地上

家紋のいろいろ

椿《つばき》紋

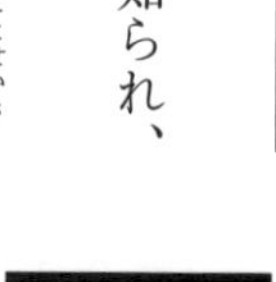

三つ椿

椿は桜、梅とともに、日本人が愛する花木である。しかも、椿は伊弉諾尊《いざなぎのみこと》の唾液が化成した〃生命の木〃とされる。また、熊野三社権現の縁起を語り、諸国を勧進《かんじん》して歩いた熊野比丘尼《びくに》の象徴でもあった。椿の根っこから上る水は、「聖《ひじり》の水」ともされる。

椿は、これだけ素晴らしい謂《い》われを誇る美しい花である。だが、江戸期の家紋としての使用は、旗本の山脇氏のみ。

それは、刎《は》ねられた首が落ちるように花がポトリと落下するためだ。そのイメージが悪く、家紋に合わなかったのである。

にあるものを立ち鶴紋と呼ぶ。鶴はつがいでいつも一緒にいることから、双鶴《そうかく》紋も多い。

鎌倉の鶴岡八幡宮[注68]の神紋は鶴丸。源頼朝が天下統一を祝って、足に金の短冊をつけて千羽の鶴を放った故事による。

盛岡南部氏の双鶴紋には逸話がある。十三代の守行《もりゆき》が応永《おうえい》十八年（一四一一）に秋田安東氏と戦うが、苦戦を強いられた。そこで霊夢を得て、戦勝祈願をした。すると、酒を社に供える八つの皿に、飛来した二羽の鶴の姿が映り、直後に敵の伏兵を行脚《あんぎゃ》僧が知らせ、勝利したというのだ。

鶴は、鶴ヶ城、舞鶴城、鶴首城など城名にも好んで用いられた。そして蒲《かま》池《ち》鑑盛《あきもり》は家紋が鶴だったため、柳川《やながわ》城（福岡県柳川市）を鶴の形に築いた。また作家の太宰治は自分の中に、津軽の大地主としての血が流れていることを嫌いながらも、実家である津島氏の鶴丸紋を誇らかに全集の装飾として用いた。

■この家紋を用いているのは……日野、柳原、北小路、広橋、森、南部、蒲生、諏訪、小林、日野根、大岡、佐々木、石巻、浅井、堀、鶴田などの各家。

津島家（太宰治）の鶴丸

南部氏の丸に向い鶴に九曜

降り鶴の丸

三つ鶴

（注68）神奈川県鎌倉市の中心部に鎮座する神社だ。祭神は応神《おうじん》天皇、神功《じんぐう》皇后、比売大神《ひめのおおかみ》の三柱である。創祀は康平《こうへい》六年（一〇六三）。源氏の家祖の源頼家が、京の都から石清水《いわしみず》八幡宮を勧請《かんじょう》したのが始まりだ。

「蝙蝠《こうもり》」の紋

中国や日本では福を招く生きもの

コウモリは哺乳類で唯一、空を飛ぶ。超音波を発して障害物を探知し、超スピードを出す。

西洋では死や不幸を招くと忌み嫌われるが、中国では逆である。中国においては、「蝙蝠」と書いて、「へんぷく」と読む。「蝠」が「福」と同音のため、福運を招くとされた。

五匹の蝙蝠を描いた絵は長寿、富、貴、健康、子沢山の五福をもたらすとされた。そして、福の字と組み合わせて、「福寿」を表わした。またコウモリを食べると、万歳の寿命を得るともいわれた。

家紋はその瑞祥にあやかり、日本石油やカステラの福砂屋《ふくさ》の商標にも用いられている。

■この家紋を用いているのは……山本家のみ。

蝙蝠

家紋のいろいろ

杜若《かきつばた》紋

立ち杜若の丸

アヤメとカキツバタは同じ科であるところから、見分けのつかないことのたとえに、「いずれアヤメかカキツバタ」という慣用句が用いられた。

だが、家紋としてあるのは、カキツバタのみである。

なお、カキツバタは牛車の紋にもなった。

■この家紋を用いているのは……花山院、中山、野宮《ののみや》、今城、壬生《みぶ》、石山、白川、高力《こうりき》、幸田などの各家。

「鹿《か》角《づの》」の紋

鹿は神の使い＝霊獣だった

鹿は春日大明神の神使とされ、春日大社[注69]に隣接する奈良公園では、放し飼いにされている。中国では、鹿は千年で蒼鹿《そうろく》、それから五百年で白鹿《はくろく》、さらに五百年を生きて玄鹿《げんろく》になるとされる長寿の霊獣。

鹿紋は角だけで鹿を表現するのがほとんどだ。ちょうど、鷹が羽だけでそれと分かるのと同じである。

鹿の角は雄々しく、立派に感じられるため、兜の前立てにも用いられた。また四足の動物紋は、馬など数少ないが、おとなしい性格が気に入られたようだ。

■この家紋を用いているのは……「鹿」は君島、「角」は近藤、諏訪、小沢、松島、伊藤、春日などの各家。

抱き角

（注69）奈良市の中心部に鎮座する神社だ。祭神は武甕槌命《たけみかづちのみこと》、経津主命《ふつぬしのみこと》、天児屋根命《あめのこやねのみこと》、比売神《ひめのかみ》の四柱だ。創祀は和銅二年（七〇九）。元明天皇が平城京の造営に際して、皇城鎮護の神として祀ったのが起源である。

「亀《かめ》」の紋

長寿のシンボル。神話の時代から尊重

「鶴は千年、亀は万年」といわれて、長寿を象徴する動物。亀は北方を守る神（玄武《げんぶ》[注70]）だ。仙人の住む蓬萊山は巨大な亀の背中に乗って、海に浮かんでいるという。

神話の時代、海神の娘、豊玉姫は大亀に乗って海を渡ってきたとか。豊玉姫の孫である神武天皇は、九州から大和に攻めのぼる途中、亀の甲に乗って釣りをしていた国つ神を海路の案内人とした。

また五世紀の雄略朝の時代、浦嶋子《うらしまし》が丹後半島から舟で釣りに出た。その折、大亀を得ると、亀はたちまち女になった。浦嶋子はこれを妻にして海に入り、蓬萊山に至ったと『日本書紀』などはいう。

家紋の亀は霊亀とされる蓑亀《みのがめ》である。これは日本特産の淡水亀（石亀という）の甲に、長期にわたって緑藻が付いたもので、めでたい印にされた。この蓑亀に、なぜか実際にはない耳が付いているのが面白い。

■この家紋を用いているのは……亀田、亀山、堀、川田、林、奥山、森、六角、原などの各家。

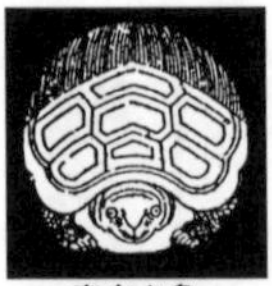
真向き亀

二つ入違い
蓑亀の丸

（注70）東方・南方・西方・北方を守護する神のことを、それぞれ「青竜」「朱雀」「白虎」「玄武」と呼び表わす。青春、朱夏、白秋、玄冬という言葉は、ここから生まれ出たのである。

「亀甲《きっこう》」の紋

出雲大社の神紋として知られる

亀甲は、出雲大社[注71]の紋として有名である。これは亀の甲羅を紋様としたものだ。六角形をしており、大昔から世界的に見られる。

亀甲には、幅広に六角形を描くものと、その内側に細くもう一つ、同じ六角の線を入れた子持ち亀甲がある。

家紋では花亀甲といって、亀甲の中に唐花《からはな》、桔梗《ききょう》、梅などの花紋を入れたり、巴や文字を入れたりする。信長に滅ぼされた北近江の浅井氏の紋は、三つの亀甲を描いた三つ盛亀甲である。

■この家紋を用いているのは……二階堂、亀田、福島、木内、能勢、内藤、福島、遠藤、坂本などの各家。

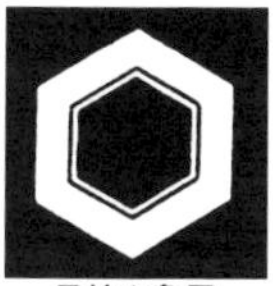

子持ち亀甲

（注71）島根県大社町に鎮座する神社だ。わが国きっての古社で、主神は大《おお》国主命《くにぬしのみこと》である。大国主神が出雲の地を天照大神に献上し、その代償にこの社を建てたとされる。建築様式は大社造り。縁結びの神として名高い。

「海老《えび》」の紋

「腰の曲がった翁《おきな》」がそのイメージ

現在の高齢化社会の感覚と違い、平均寿命が短かった昔、海老の形はお年寄りに似ているから、めでたかった。立派な口髭、腰の関節の屈曲した翁《おきな》を連想させた。

海老は長寿の慶祝に好まれ、正月の鏡餅や松飾りにも欠かせなかった。「海老で鯛を釣る」という諺がある。わずかな贈物で多くの返礼を受けるたとえだ。海老以上にめでたいはずの鯛が家紋にないため、海老は海産物の中で慶祝の王となった。なお、家紋の海老は伊勢海老である。

■この家紋を用いているのは……海老名、江見、大橋などの各家。

海老の丸

橘に込められた願いとは？

不老不死を願う紋の一つに「橘」がある。第十一代の垂仁《すいにん》天皇は、田道間守《たじまもり》に命じて常世国《とこよのくに》に遣わし、非《とき》時《じく》の香菓《かくのみ》を求めさせた。

しかし、田道間守がその香菓を持って帰国した時には、すでに垂仁天皇は亡くなっていた。『日本書紀』はそのように記し、この非時の香菓とは橘のことであるといっている。

時代は下がる。

県犬養《あがたいぬかい》 橘《たちばなの》 三千《みち》代《よ》という、天武天皇に始まる六朝の後宮に仕えて、活躍した女性がいた。彼女は長年の功績により、元明女帝から豊明節会《とよあかりのせちえ》で、橘を浮かべた盃を賜る。

女帝は「橘は果実の長上、人が好むところである。霜雪をしのいで繁茂し、暑さにも寒さにも強く、珠玉とともに光を競い、金銀に交わって美しい。ゆえに汝《なんじ》に橘の宿禰《すくね》の姓を授ける」と、橘の盃に言葉を添える。

その感激は三千代ひとりのものではなく、亡き夫が皇族だったため、その子の葛城《かつらぎ》王と佐為《さい》王は、母を慕って王族を捨て、葛城王は橘諸兄《もろえ》、佐為王は橘佐為と称して臣籍に降った。

さらに次の女帝・元正《げんしょう》（太上《だいじょう》天皇の時）は諸兄と佐為を称えて、「橘は実さへ花さへその葉さへ枝に霜降れどいや常葉《ときわ》の木」（橘は実だけでなく花や葉であっても、枝に霜が降っても、いよいよ栄える木でありましょうよ）と称えた。

ここに、橘氏は非時の香菓とされる橘を瑞木とし、その子孫、さらに一族は家紋の成立後に「橘」を団結のシンボルとした。そして、一族に連なる者たちも、この紋を使用したと見られる。

鶴や亀、松はなぜ縁起がよいのか

「鶴は千年、亀は万年」という諺がある。これは『淮南子《えなんじ》』の説林訓《せつりんくん》などに見える、中国の伝説に基づく言葉だ。いうまでもなく、鶴は千年、亀は万年の寿命を保つということから、長寿でめでたいことをいう。

鶴は先にも述べたように、稲を運んできた鳥として神聖視された。それと共に、その美しい姿から仙人に侍する鳥とされ、長寿を保つ瑞鳥《ずいちょう》となった。したがって、日本では霊鳥視され、皇太子が乗る輿《こし》を「鶴駕《かくが》」とも呼ぶようになる。そのため、庶民が鶴を猟獲することは禁じられた。

徳川三代将軍・家光の側室のお楽の方は、四代将軍の家綱の生母となった。だが、その少女期、父が禁猟の鶴を捕っては密売していたことが発覚して死罪になり、辛酸をなめた。ちなみに、鶴は徳川将軍家が、鷹狩りで捕らえ、生きたまま朝廷に献上したりしている。

亀は浦島太郎伝説でもお馴染みのように、不老不死の国との間を往来し、長生きする動物、また幸せをもたらす生き物として家紋になった。

聖徳太子が亡くなったのを妃の橘大女郎《たちばなのおおいらつめ》が悲しみ、太子往生のさまを図像にした。この「天寿国曼荼羅繍帳《てんじゅこくまんだらしゅうちょう》」には百匹もの亀が描かれる。奈良県明日香村には、飛鳥の壁画古墳として、一躍有名になったキトラ古墳がある。ここにも、四神《しじん》の青竜、朱雀《すざく》、白虎とともに玄武《げんぶ》、つまり亀が描かれている。

また、飛鳥の謎の石造物とされてきた酒船石のある丘陵の麓から、平成十二年（二〇〇〇）に、石段のある石敷広場が発掘された。その中央に、精巧に造られた亀の甲羅を水槽に見立てた亀形石槽が見つかった。これは、斉明《さいめい》天皇時代の道教に関する祭祀施設と見られている。不老不死という考えのもととなった神仙思想に基づいて造られたものだ。

「亀甲」はもともと、シルクロードの国々にも見られる世界的な紋様である。亀の甲羅とは関係なく発達し、織物紋様としても愛されてきた。しかし家紋では、亀甲紋を万年の寿命を持つ亀の甲羅に見立て、めでたい紋様とした。そのため、広く使われたのだった。

PART 9

森羅万象にまつわる家紋

「鳳凰《ほうおう》」の紋

伝説の鳥……吉兆として珍重される

　宇治の平等院や京都の金閣寺の屋根の上には、鳳凰が載っている。また奈良・斑鳩《いかるが》の法隆寺は鳳凰を寺紋とする。

　鳳凰は奈良時代には紋様に用いられた。『延喜式』に鳳凰は祥瑞とされ、形は鶴に似て、五色をなし、鶏冠《とさか》があり、竜形をしていると記される。『日本書紀』は「聖王、世に出て天下を治める時、天は祥瑞を示す」といい、やはり鳳凰を祥瑞の一つに挙げる。

　ちなみに、南北朝時代の武将、赤松則村《のりむら》は後醍醐天皇からこの紋を賜ったと伝える。

■この家紋を用いているのは……波多野、近藤、二宮、松前、川勝、堀内、関などの各家。

鳳凰の丸

家紋のいろいろ

撫子《なでしこ》紋

撫子

　やさしい女性をイメージさせる撫子は、桔梗などとともに秋の七草の一つに数えられる。日本古来の瞿麦《くばく》（ヤマトナデシコ）と中国からきた石竹《せきちく》（カラナデシコ）があり、瞿麦の方は花弁の先が鋭く、深く裂けている。一方の石竹は花弁の先が鋸の歯のようになっている。

　家紋は、ほとんどが瞿麦をデザインしたもの。斎藤氏の代表紋で、道三は波紋とともに使用した。秋月氏の三つ瞿麦も名高い。

■この家紋を用いているのは……斎藤、井上、疋田、河原、河合、前田、赤井、東条などの各家。

「千鳥《ちどり》」の紋

優美さが貴族に好まれて家紋に

千鳥の名の由来は、多く群れをなして飛ぶことからとも、チッチッという鳴き声からともいう。千鳥は渡り鳥である。海辺にはシロチドリ、川の上流にはイカルチドリ、下流にはコチドリがいる。

千鳥紋は衣服、調度、器具など、貴族好みの紋様として、幅広く用いられた。その優美な紋様が家紋にも転用されたのだ。千鳥の紋は波間をチドリが群れ飛ぶ意匠で、躍動感が溢れている。

■この家紋を用いているのは……山川、堀越の各家。

丸に千鳥

「蛤《はまぐり》」の紋

いつも変わらぬ堅固な貞操を表徴

二枚貝の蛤は、同じ貝の殻どうしでないと、ピタリと合わない。このため貞操の象徴とされた。

この紋は「貝覆《おお》い」という、平安末期から始まった遊びに由来する。これは三六〇個の蛤を左貝と右貝に分けて、それぞれ合うものを探す遊び。貝殻の裏に絵や歌を書き込んだり、嫁入り道具では蒔絵を施すなど、しだいに豪華になった。この貝覆いは、「貝合わせ」ともいわれる。

なお家紋としては、三つ、四つ、五つ蛤などがある。

■この家紋を用いているのは……青木、石場の各家。

三つ頭合せ蛤

「花筏《はないかだ》」の紋

あでやかで風雅な自然の一コマ

筏に乗るのは、人ではなく花である。その花は、渓流を下る筏に舞い散る花かもしれない。実に艶やかな紋様で、風流である。

筏の花は桜であったり、山吹であったりする。『甲子夜話《かっしやわ》』[注72]という江戸時代の随筆に、桜をモチーフにした花筏の襖絵《ふすまえ》を、幼少の徳川家光が引きちぎって、仙石氏に与えたという故事が出ている。ただ仙石氏は花筏ではなく、桜を記念紋にした。

花筏の絵紋様は、京都・高台寺の豊臣秀吉を祀る霊屋《たまや》内に描かれている。桃山文化の中で生まれた紋様のようだ。

■この家紋を用いているのは……本多、瀬川の各家。

花筏

（注72）著者は肥前・平戸藩主の松浦《まつら》静山《せいざん》である。文政四年（一八二一）十一月十七日、甲子《きのえね》の日の夜に起稿した。書名は、それに由来する。

「桔梗《ききょう》」の紋

バリエーション豊かな美しい家紋

桔梗は女紋として愛されてきた。さまざまな絵柄に富む美しい紋様だ。土岐氏の代表紋である。土岐氏は無紋で、花の色にちなむ水色に染めただけの幕を用いたりもした。

桔梗紋には悲劇の人が目立つ。本能寺の変で信長を討った明智光秀は、土岐氏の支流で桔梗紋。同僚の羽柴秀吉との戦いに敗れて、わずか十一日の天下に終わり、農民の竹槍に突かれて死んだ。

また幕末、海援隊を組織し、新しい国づくりをめざす途中で暗殺された坂本竜馬は、違い枡《ます》に桔梗。先祖が光秀の女婿《じょせい》・秀満の子孫だったとされる。

さらに江戸城を築いた太田道灌《どうかん》も桔梗紋だが、実力を妬《ねた》まれて謀殺された。光秀の謀反で同紋を嫌った水野勝成は懸魚《げぎょ》（一四四ページを参照）に変えるなど、桔梗紋をやめた武士は少なくなかった。

■この家紋を用いているのは……土岐、植村、揖斐《いび》、妻木、仙石、太田、遠山、池田、高田、福島、脇岐、三沢、広瀬、土田、山本、岡田などの各家。

隅切角に桔梗

坂本竜馬の違い枡に桔梗

家紋のいろいろ

籬架《ませ》菊《ぎく》紋

籬架菊①

籬架菊②

垣根越しに咲く菊花を紋にしたもの。尚美的なイメージが強い。平安から鎌倉時代にかけて流行した紋様だ。源頼朝の妻・北条政子の硯箱《すずりばこ》にも蒔絵にしたものがある。文豪・夏目漱石の家紋は井桁に菊紋。漱石の父は徳川家の直参《じきさん》だった。この夏目氏の紋は、写実的な籬架菊が図案化されて変化し、江戸時代に井桁になったようだ。

■この家紋を用いているのは……逸《へん》見《み》、夏目などの各家。

「桜《さくら》」の紋

江戸期に入って人気を得る

嵯峨天皇はしばしば桜宴を開き、続く仁明《にんみょう》天皇は清涼殿に桜を植えた。紋様としての桜の歴史は古い。だが武士の時代、桜花のようにすぐ散ってしまっては困ることから、敬遠された（一四八ページを参照）。

けれども戦国期が終わり、平和になった江戸期に入ると、桜は風雅の紋として、もてはやされるようになった。松平桜井氏は苗字にちなんで、葵を桜に変えた。但馬《たじま》出石《いずし》藩の仙石氏は、将軍の家光が子供の時、襖に描かれた花筏を引きちぎり、それをくれたことから、九曜桜を替紋にした（一九五ページを参照）。

■この家紋を用いているのは……松平桜井、仙石、細川、桜井、小栗、小菅、矢橋、西、島村などの各家。

桜

「楓《かえで》」の紋

紅葉は平安貴族に愛された

秋を赤く彩る風情《ふぜい》は王朝好み。ある時、天智天皇が春と秋とどちらに深い趣があるかと朝臣たちに問うた。これに対して、額田王《ぬかたのおおきみ》注73が、春には鳥が鳴き、花も咲いて美しいが、色づいた葉を手に取ることのできる秋山にこそ趣があると、歌をもって返答した。それ以来、貴族たちは春の花よりも秋の紅葉を愛した。

楓は形が美しく、衣服や車、輿《こし》の紋様に用いられた。一般に葉を描いて紋にする。枝を外枠の円に見立てたものもある。

■この家紋を用いているのは……今出川（菊亭）、市川、高山、萩原、奈良、八木などの各家。

雪輪に楓

（注73）七世紀後半の女流歌人。初め大海人皇子《おおあまのおうじ》（天武天皇）に愛され、十市皇女《とおちのひめみこ》を生んだ。のち天智天皇の寵愛を受けた。感性がみずみずしく、才気に溢れた女性だった。

「虎杖《いたどり》」の紋

その花は吉兆と目される

五世紀の中ごろ、時の反正《はんぜい》天皇が体を洗おうとした時、井戸の中に多遅《たじ》の花があった。そこから、反正天皇を多遅比《たじひ》と言ったらしい。多遅は虎杖（多治比とも）のことをいう。

また六世紀の前半、宣化《せんか》天皇の曾孫の多治比王が誕生した時、産湯《うぶゆ》に虎杖の花が飛んできたとか。この伝説から、後裔の丹治《たんじ》氏、多治比氏の代表紋になっている。

この花は瑞祥の印とされた。イタドリは「痛みを取る」の意で、根茎は漢方薬に。夏秋には白い小花が密生して、観賞用にもなっている。

■この家紋を用いているのは……丹治、多治比、黒田、中山、大関の各家。

虎杖

家紋のいろいろ 河骨《こうほね》紋

三つ河骨

河骨は、池や沼の浅水に自生するスイレン科の多年草。夏に花茎を水面に出して、一輪の黄色い花を咲かせる。この紋は尚美紋といえる。だが何よりの特徴は、葵紋とそっくりなこと。蓮《はす》に似る葉を三つにすると、三つ葉葵もどきになる。

葵もどきということでは、水葵《みずあおい》紋にも触れたい。戦国の金山《かなやま》城（群馬県太田市）にあって、横瀬から由良と名を替えた一族は没落した。けれども、徳川と同族の新田氏ということで、高家《こうけ》として江戸期を通じて存続した。この一族が立葵に似た水葵を用いた。

■この家紋を用いているのは……堀江、神崎、大浦などの各家。

「竹《たけ》」の紋

高潔な姿は君子のイメージ

平安時代、竹は鳳凰・桐と共に一組をなし、天皇の日常の衣服の柄となっていた。やがてこれらは独立の家紋となった。竹は松、梅と並んで、ともに寒さに強い。中国では、「歳寒《さいかん》の三友」といわれる。

また竹の真っ直ぐに伸びる高潔な美しさは、君子にたとえられた。中国では梅、菊、蘭とともに「四君子《しくんし》」と呼ばれ、日本でも瑞祥の植物ともてはやされてきた。

竹の小さいものは笹と呼ばれ、家紋も竹と笹は[注74]同一に扱われる。江戸期、笹竜胆《ささりんどう》が源氏全般の紋と誤認されたことがあった。そのため、笹(竹)紋は清和源氏の支流を中心にして、源氏の流れを汲む多くの大名、旗本が用いた。使用家は公家も含めて二百家前後にも及んだ。竹に雀をあしらう紋様も人気があった。

■この家紋を用いているのは……「竹」は清閑寺、最上、岡田、土屋などの各家、「笹」は小沢、仁木、小野、山名、石川、岸本、竹中などの各家、「竹に雀」は勧修寺《かじゅうじ》、坊城、上杉、伊達、堤などの各家。

根笹

竹に向い雀

（注74）竹と笹は、どちらもイネ科の多年性植物である。両者はいずれも、めったに花をつけない。竹や笹がもしも開花したならば、その個体の多くは枯死してしまうのが普通である。

「獅子《しし》に牡丹《ぼたん》」の紋

「百獣の王」と「百花の王」の取り合わせ

近世に至るまで、日本人がライオンを見ることはなかった。ライオンは、獅子と呼ばれて、想像上の猛獣に過ぎなかった。その獅子の紋様が、古い時代に仏教と結びついて渡来した。

百獣の王ライオンは獰猛《どうもう》な肉食動物である。だが、想像上の獅子は牡丹を愛して、これを食すると考えられた。そこで、百花の王とされる牡丹に獅子が戯《たわむ》れ遊ぶ絵柄が生まれ、富貴を表わす家紋となった。この家紋は清和源氏・頼光《よりみつ》流の多田氏の代表紋だ。秋田氏、鵜殿《うどの》氏の家紋は朝廷からの拝領紋だという。

■この家紋を用いているのは……多田、能勢《のせ》、中川、秋田、鵜殿、秋田、高島などの各家。

獅子に牡丹

「杏葉《ぎょうよう》」の紋

起源は西南アジアの馬具

杏葉は西南アジアから中国に入り、日本に辿りついた紋様である。これは奈良・斑鳩の藤ノ木古墳からの出土でも明らかなようだ。もとは唐代に流行した馬の鞍などの装飾である。

杏葉は、鎌倉初期に勧修寺《かじゅうじ》家が車紋にした。また大友一族の紋となった。大友氏から法然上人が出た。そのため、上人が開いた浄土宗の寺院の寺紋にもなった。

のちに大友宗麟《そうりん》が竜造寺隆信を攻めた。その戦いの折、隆信の臣・鍋島直茂が夜襲をかけて勝利した。そこで直茂は杏葉紋の帷幕《いばく》を奪って、自分の家紋としたのである。

■この家紋を用いているのは……大友、鍋島、石野、六角、石原、大沢、倉橋、高階、吉川などの各家。

鍋島氏の杏葉

家紋のいろいろ

茶《ちゃ》の実《み》紋

一つ茶の実

前に述べた枇杷紋が、柏紋を真似てできたと思われるように、茶の実もまた橘紋を模造したコピー紋といえそうだ（八一ページを参照）。

橘紋は、実の中央にプツンと小円を核のように配するものが多い。だが、茶の実にはこれがない。また橘紋は実の後ろに葉が三つ描かれるが、茶の実にはこれもない。

紋の誕生は江戸時代と新しい。紋の美しさが気に入られ、多く替紋に使用された。紋が変形するパターンまで、橘と同じである。

■この家紋を用いているのは……米野、津田、上田、村田、伴、赤堀、室田、三田などの各家。

「夕顔《ゆうがお》」の紋

花の美しさが称えられて家紋に

夕方咲いて、朝にはしぼむ。その花のはかなさは、家紋としては本来、不向き。だが紫式部の『源氏物語』では、夕顔なる女性が光源氏に愛される美しい女として描かれている。それだけではなく、中国からの渡来植物で、花の美しさが気に入られた。しかも蔓《つる》性であることも、よしとされた。

カンピョウにもなる果実は、瓢《ひさご》と呼ばれた。瓢とは火避けの意味である。これに水を入れ、火を消すのに用いた。また、神事にも使われた。こうしたことから、夕顔は家紋となったのである。

■この家紋を用いているのは……南条、新庄、塩谷などの各家。

夕顔の花

家紋のいろいろ㊿

桊《からなし》紋

丸に桊

桊

桊は中国から唐花とともに渡来した架空の植物。「唐梨」とも書く。紋はやせ細った四つの花びらの唐花に、さらに小さい四つの花弁の、計八つの花びらからなる。別名として梨の切り口紋とも呼ぶ。だが、実態とはまったく違う紋様だ。さらに、形の違う雪紋に似た紋も桊紋という。

■この家紋を用いているのは……永井、大橋、梨本、吉見、戸祭、弓気多などの各家。

「鉄線《てっせん》」の紋

生命力の逞しさが好まれた

鉄線とは中国原産の帰化植物。[注75] 菊唐草《きくからくさ》ともいわれる。

この花は蔓《つる》草で、生け垣やフェンスなどに絡まって伸びる。生命力の逞しさが好まれた。

また、その根は漢方医学の生薬《しょうやく》として活用されている。薬名は威霊仙《いれいせん》。痛風などによく効くらしい。

なお鉄線は、夏に六弁または八弁の、青もしくは白い大きな花を一茎に一つ咲かせる。鉄線と呼ばれるのは、蔓茎が針金のように丈夫だからである。

■この家紋を用いているのは……片桐、平田、金子、宇田川、永井、藪《やぶ》などの各家。

六つ鉄線

（注75）キンポウゲ科の蔓性植物である。ガーデニングの愛好家なら、よくご存じの美麗な宿根草花だ。洋名はクレマチス（有刺鉄線の類《たぐい》ではない。誤解なきように………）。

「蔦《つた》」の紋

客商売の人々がこぞって家紋に

蔦とは如何なる植物か。この植物は蔓をなし、節ごとに根を出して、樹木や岩石にまつわりつく。その姿を見て、商人は商売の殷賑繁盛《いんしんはんじょう》を願った。遊女も、客に絡まり離さないことを連想し、こぞって家紋にした。

徳川八代将軍の吉宗《よしむね》も、この紋を用いた。松平氏にも使用家が多かった。また武士たちも、徳川家にまつわりついて繁栄したいと祈願し、幕臣の百六十家が蔦の家紋を用いた。

蔦は晩秋、赤く燃えるように紅葉して美しい。この面からも愛された。

■この家紋を用いているのは……藤堂、青木、有田、飯島、伊藤、遠藤、小田切、木村、京極などの各家。

蔦

「葡萄《ぶどう》」の紋

古く中国から伝えられた紋様

海獣葡萄鏡《かいじゅうぶどうきょう》というものがある。これは奈良などの古墳から出土し、正倉院御物《ぎょぶつ》や寺社の伝世品として知られる。鏡の背面に、獅子とともに葡萄紋様が描かれている。唐代に鋳造された鏡だ。

この葡萄紋様は古代中国からもたらされた。そして植物の葡萄は[注76]鎌倉期に、わが国へやって来た。

前項の蔦はブドウ科である。本項の葡萄も蔓性で、葉は蔦と間違えやすい。葡萄が実り、実を垂れるデザインは一見、藤紋に似ている。紋様にした際の意匠の美しさが、気に入られたのだ。

■この家紋を用いているのは……松平五井、神原、勝部、深栖などの各家。

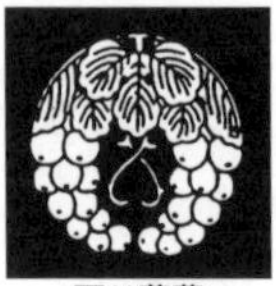

下り葡萄

（注76）葡萄の栽培の歴史は、きわめて古い。たとえば今から約七千年前、葡萄はすでに西アジア（ペルシャ高原）で栽培されていたらしい。

その後、葡萄の栽培は、古代エジプトや古代ギリシャ、古代ローマなどの地中海方面へ広がってゆく。そしてさらに、中央アジアから中国大陸へと伝播する。

極東のわが日本に関して言えば、葡萄は、いわゆるシルクロードを経て渡来した。葡萄の東遷の果てが、すなわち、鎌倉期の日本だった……というわけである。

「葛《くず》」の紋

なぜ家紋として評価されたのか

葛は、蔓が十メートル以上にもなるマメ科の多年草だ。秋の七草の一つ。その風姿の美しさから家紋になった。

クズの名は奈良県吉野の国栖《くす》にちなむという。国栖は根から取る葛粉《くずこ》の良品を産したところ。

葛粉から葛切り、葛湯、葛餡《くずあん》の餡かけ料理など、多彩な食べ物への応用ができる。漢方薬である葛根湯《かつこんとう》の主成分にもなる。また蔓の繊維で葛布《くずふ》ができ、昔は蔓で行李《こうり》注77も作られた。そのように、葛は優れものの野草の一つである。

■この家紋を用いているのは……久下《くげ》、荒木、青木、村山、石尾、山角《やまかど》などの各家。

葛の花

（注77）旅行用の荷物入れ。竹または柳で編んで作る。衣類を入れるのにも使われる。

「薄《すすき》」の紋

秋の風情《ふぜい》をあざやかにデザイン

葛と並んで薄は秋の七草の一つ。月見には欠かせない。薄紋は穂の美しさから尾花《おばな》紋、穂薄《ほすすき》紋ともいう。秋草紋様の代表格。蒔絵の紋様などには秋草紋様が多く描かれ、ことに女性の生活用具に目立つ。その中で、薄には必ず露があしらわれて、薄の紋様を引き立たせる。

家紋では細枠の円を満月に見立てて、薄にはやはり露を置く。薄には雪輪もよく似合うが、陸奥《みちのく》仙台の伊達氏は、雪そのものを薄にあしらう。秋の風情をデザインした、完全な尚美紋だ。

■この家紋を用いているのは……伊達、西尾、西沢などの各家。

抱き薄

「萩《はぎ》」の紋

『万葉集』で最も多く詠まれている植物

山上憶良《やまのうえのおくら》注78に、秋の七草を詠みこんだ歌がある。「萩の花尾花葛花なでしこが花　をみなへしまた藤袴朝顔が花」　萩はその筆頭に挙げられる。

この萩は、植物の生気を自分のものにしたいと願う万葉人が髪に挿す、〝かざしの花〟でもあった。奈良・平安時代の貴族は、秋草紋様として萩を愛した。

抱き萩

■この家紋を用いているのは……杉原、吉川、富津、萩原などの各家。

（注78）六六〇〜七三三年。奈良時代の歌人。『万葉集』に長歌・短歌・施頭歌《せどうか》など約八十首ある。

「荻《おぎ》」「葦《あし》」の紋

清楚で風雅な趣が愛でられた

ともに水辺に自生する植物だ。清楚で、また風雅な趣から家紋になった。荻野氏は苗字にちなんで、荻の紋を用いた。形は荻丸ひとつだけである。葦の原は「悪原《あしはら》」に通じ、縁起が悪いと、「吉原」と言い換えた。その地が、日本橋の吉原である。この吉原は町ごと移転し、江戸の遊郭として繁栄した。

葦の家紋も、この言い換えによる縁起の良さから生まれた。風に折れそうで折れない強さが買われたのだ。

■この家紋を用いているのは……「荻」は荻野、「葦」は石川、日下《くさか》、新見、飯塚の各家。

荻

丸に変わり一つ葦の葉

「酢漿草《かたばみ》」の紋

子孫繁栄の願いが込められる

優雅でかつ簡明な紋様。平安・鎌倉期に車紋として採用された。実や花もモチーフになるが、主体は葉である。三葉が多く、四葉も美しい。

この紋を用いたのは、大炊《おおい》御《み》門《かど》、冷泉《れいぜい》などの公家だけでない。繁殖力があって、踏まれてもくじけない強さが、子孫繁栄につながるとして、江戸時代には酒井氏をはじめ大名・旗本の使用家は百六十を上回った。

武家には三葉酢漿草の間に剣を配して、武威を示す剣酢漿草が気に入られた。なぜかこの紋を使用する家には、「田」がつく苗字が多い。

『酒井家世紀』によれば、酒井家は家康の祖先・松平長親の求めによって、三葉葵を召し上げられ、代わりに酢漿草をもらった。そこで、酢漿草を三葉葵と同じ形にデザインしたという。

なお、酢漿草は「片喰」とも書く。

■この家紋を用いているのは……冷泉、長宗我部、酒井、岡田、武田、早川、竹本、吉田、角倉、小倉、松岡、中川、勝田、大久保などの各家。

酢漿草

剣酢漿草

長宗我部氏の酢漿草

家紋のいろいろ

田字草《でんじそう》紋

田字草

葉の形が「田」の字に似ているので、この名前がついた。四つ葉酢漿草《かたばみ》ともいい、酢漿草とデザインはまったく同じ。

デンジソウは、根と茎が泥の中にあって、葉を水面から出した水生シダである。

この紋は、花勝見《はなかつみ》紋とも呼ばれる。これは『万葉集』や『古今集』に詠まれる「花勝見」と同じと見られるからだ。公家の四条氏とその一門の独占的な紋である。

■この家紋を用いているのは……四条、櫛笥《くしげ》、八条、西大路、油小路、山科、新井などの各家。

「車前草《おおばこ》」の紋

強い生命力を持つ薬草

車前草は野辺に顔を出す初夏の雑草。この草を処方すると、死んだ蛙も生き返るといわれる。強い生命力を持つ薬草である。坂上田村麻呂《さかのうえのたむらまろ》を祖とする田村氏が、この薬草紋をよく用いた。

伊達政宗の正室・愛姫《めごひめ》は三春《みはる》城（福島県三春町）の田村氏の出である。田村氏が絶家となってのち、愛姫の願いにより、伊達家が分地して一関《いちのせき》藩ができた。車前草はこの田村氏の代表紋。

また田村氏から坂上、丹波という医家が出た。その両氏も、この紋を使用している。薬草だけに、医家にはふさわしい紋といえる。

■この家紋を用いているのは……田村、坂上、丹波、大越、岡田などの各家。

車前草

「棕櫚《しゅろ》」の紋

富士の山麓、浅間《せんげん》大社の神紋

棕櫚は「すろの木、唐めきて」と『枕草子』にあるように、形が変わっていて、エキゾチックな感じがする。そこに趣があるところから、家紋になった。

この紋は、天狗《てんぐ》の持つ羽団扇《はねうちわ》と混同されやすい。富士山麓の浅間大社は棕櫚の神紋を用いる。修験道《しゅげんどう》注79の影響からか、従来、この神社の紋は天狗の羽団扇とされていた。だが実は、大宮司である富士氏の棕櫚紋が神紋になったのである。

なお、十三葉の棕櫚を用いた戦国大名に、越中・富山城主の佐々《さっさ》成政《なりまさ》がいる。彼は秀吉に敵対し、一度は許され熊本城主になる。だが、一揆の収拾に失敗し、自刃して滅びた。

■この家紋を用いているのは……佐々、米津、富士、秋葉などの各家。

佐々氏の棕櫚

（注79）役小角《えんのおづぬ》を祖と仰ぐ日本仏教の一派。もともとは山中での修行によって、呪力を獲得しようとした。だが、のちには自然との一体化によって即身《そくしん》成仏《じょうぶつ》を図ることを重視した。

「丁字《ちょうじ》」の紋

貴重品のスパイスを表象したもの

足の裏を思わせるユーモラスな形から、紋になった。丁字はモルッカ諸島[注80]原産の、香料を採る常緑高木である。英名はクローブ。花の香りがよく、蕾《つぼみ》を乾燥させたものを丁香《ちょうこう》という。丁香は胃薬や風邪薬になり、絞って採れる丁字油は麻酔剤、防臭剤になった。

とにかくこの舶来の香料は、平安初期には七宝の一つに数えられて、吉祥の意味合いもあった。この紋は大根紋と似ているが、頭部が違う。

■この家紋を用いているのは……押小路、前田、岡本、新庄、小野寺、中野、佐野、村松、長沢などの各家。

丸に違い丁字

（注80）インドネシア東南部の諸島。一五一一年、ポルトガル人がアンボン島に到達、以後、その支配が続いた。だが十七世紀の初頭にオランダが進出し、香料貿易を独占した。それよりのち、スペイン、イギリス、フランスなども加わって、争奪戦が繰り返された。

「瓢箪《ひょうたん》」の紋

神霊の宿る容器と見なされる

往昔は瓢箪《ひょうたん》の中味をくりぬいて乾燥させ、酒などの容器に用いた。古来、この瓢《ひさご》には神霊が宿るとされ、祭事に使われてきた。

永禄十年（一五六七）、秀吉は稲葉山城[注81]を攻略するべく、ひそかに城内へ侵入した。その折、瓢箪を高々と振りかざして、奇襲の成功を主君の信長に知らせた。

この功績を嘉《よみ》して、信長は秀吉が瓢箪を馬印にすることを認めた。以後、秀吉は戦いに勝つごとに、瓢箪を一つずつ増やして行ったという。

だが、これは伝説であり、事実ではない。ただし、秀吉が千成り瓢箪を旗印として用いたことは確かである。

■この家紋を用いているのは……立川、野田、久松などの各家。

丸に瓢

（注81）木下藤吉郎（豊臣秀吉）が織田信長に命じられて、この稲葉山城を攻めたとき、その城主は斎藤道三の孫の龍興《たつおき》であった。

信長は稲葉山城の攻略に成功するや、新たに城を築いた。これには、山上に望楼を含む建物があり、人質も収容していた。麓には、信長と妻女が住む豪壮な居館があった。

だが、関ヶ原の合戦ののち廃城となった。現在の天守閣は、昭和三十一年（一九五六）に復興されたものである。

「文字《もじ》」の紋

変幻自在、豊かな表現の世界

家紋の中には、漢字や漢数字をデザインしたものがある。瑞祥や呪符など、その意味するところを、雄渾《ゆうこん》、あるいは華麗に表現したものだ。その好例をいくつか紹介しよう。

▼一……「かつ」と読んで、戦いに勝つことに通じると喜ばれた。山内一豊は白抜きと黒字で書いた、陰陽並列の白黒一文字紋を使用した。旗本の石原氏は信玄のもとにあった時、「一、二を争う武士になれ」と言われ、一と二の二文字をそれぞれ丸で囲って紋とした。

▼八……武神である八幡大菩薩の頭文字。その使いの雄雌二羽の鳩を向かい合わせて、八の文字にした。また尾張徳川家は、尾張八郡を所領することを八文字紋[注82]で示した。

▼十……十は厄を払い福を呼ぶ、世界共通の呪符記号である。これは中国から伝わった。島津の十文字紋（十字紋とも）は、はじめ筆書きだった。それ

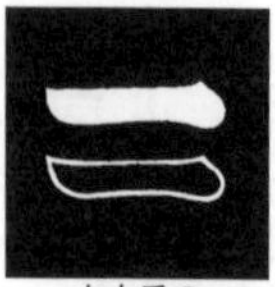

山内氏の白黒一文字

一二文字

一番

丸に十字

（注82）八文字紋は名古屋市の市章としても使われている。このほか、ご当地の殿様の家紋を市章と定めているところは、新潟県新発田市だ。

この市の「搔摺菱《かいずりびし》」紋は、旧藩主＝溝口氏の家紋である。また青森県弘前市の「卍《まんじ》」や、同県黒石市の「亞《ふつ》」は、ともに津軽氏の家紋だ。

ほかにも旧藩主の家紋をデフォルメして、市章としているところは多い。

が図案化されて、轡《くつわ》紋（一〇九ページを参照）と同じになった。ただし、島津十文字紋は、頼朝から二引両をもらったが、同紋を使うことを憚《はばか》り、形を十字に変えたとも、また頼朝自身が箸を取って、十字の形を島津忠久に示したことで家紋にしたともいう。

▼有・無……有文字紋を亀甲で囲ったのが出雲大社の神紋である。これは、十月に八百万《やおよろず》の神すべてが出雲に集まるという神有月《かみありづき》にちなむ（一四六ページを参照）。出雲の浅山氏は大社を崇拝して有文字紋である。

　無文字紋は禅から生まれたもので、信長は南化《なんか》国師《こくし》を敬って、これを家紋にし、仙石氏に与えた。山内一豊もまた「無」の旗印で関ヶ原の合戦に臨んだ。

▼大・大一・大中・大一大万大吉……「大」の文字は広大、盛大、強大を表わし、苗字に「大」がつく家の使用者が多い。金子、高橋、大宮氏も使用。大名の大久保家は、上り藤の中に「大」を入れる。「大二」は「太一」のことで、伊勢神宮の神紋。宇宙の本体、天帝（天皇）を表わす。これは有田氏が用いた。

丸に無文字

大一大万大吉

大中文字紋の「中」は天下の大道を意味した、八木氏の家紋。関ヶ原合戦で家康に敗れた石田三成は、めでたい言葉を並べた「大一大万大吉」を旗印とした。山内、五味氏もこの紋を使用する。

▼卍《まんじ》・弜《ふつ》……太陽の光を表わすという卍紋は世界的な呪符紋。インドで仏教に入り込んで、吉祥の印となって日本に渡来した。浅草寺[注83]などの寺紋である一方、仏像や仏具にも記された。津軽、蜂須賀の両大名が使用し、また横山氏の代表紋である。

弜文字紋は閻魔《えんま》大王の紋様で、怨敵退散の呪符的な意味を持つ。津軽氏は卍、輪宝、錫杖《しゃくじょう》といった仏教がらみの紋様を旗印にするが、弜も用いる。

▼兒《じ》……戦国の備前を統一した宇喜多直家の紋。息子の秀家は関ヶ原合戦で三成に味方して敗れ、本家一族は八丈島に流された。兒文字紋は、この宇喜多を含めた三宅氏一族の代表紋。先祖が新羅から備前に渡来した時に、兒文字紋を旗印としていたことによる。

▼山……「山」という文字の紋は天台宗の教義に基づいて、東京の輪王《りんのう》寺毘《び》沙門《しゃもん》堂の合印に用いられる。この山は比叡山を表わす。

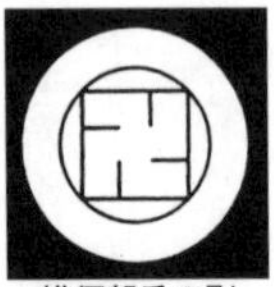
横須賀氏の卍

弜

児

輪王寺山

葵

（注83）山号を金龍山と称する。本尊は聖観音《しょうかんのん》菩薩、宗派は聖観音宗である。創建は古く、推古天皇の三十六年（六二八）と伝えられる。平安時代には慈覚大師円仁が中興し、鎌倉時代には源頼朝も帰依して大寺院になった。さらに江戸時代になると、徳川幕府の祈願所として隆盛を極めるのである。

武田信玄の旗印――「風林火山」が物語るように（九四ページを参照）、「山」の文字紋は尚武的な意味を示す。苗字に「山」がつく、山川、山崎、山本、増山などの各氏が用いた。

▼葵……松平氏には葵紋を憚って、蔦紋など他の紋に変える家が少なくなかったが、葵文字を家紋にした家もあった。

文字紋は、これら以外にもたくさんある。「吉」はめでたい文字。毛利氏は出身地の吉田にもかけて、三星に「吉」の文字紋を家紋の一つとする。佐藤、加藤氏なども他の紋と合わせて吉を用いた。

「松」は長寿の松を文字で示し、「王」は魔除けの意味から使った。日本は漢字の国だけに、文字紋の数も賑やかである。

企業のロゴマークは家紋の一種か

江戸期は経済が発達し、町人の時代になった。京都奉行所の与力・神沢杜《かんざわと》口《こう》の随筆『翁草《おきなぐさ》』は「太平の世の暖簾《のれん》は『旗印』である。群がり寄る客は『敵』である。その万人をなびかせて降参させるのは策である」と記す。

この暖簾を旗印にした戦いに勝ち抜き、その江戸商人のトップランナーになったのは、今も三井グループとして経済界をリードする三井家であった。

元禄バブルがはじけて没落する豪商の中にあって、江戸日本橋の越後屋呉服店は「現金かけ値なし」の薄利多売の新商法を打ち出して、圧倒的な勝利を収めた。従来の通念である掛売り商いを覆《くつがえ》し、現金売りのスーパーマーケット方式で客を摑んだのである。その店の暖簾に大きく染め抜かれていたのは、「丸の内に井筒三文字」紋であった。

三井家の先祖は藤原道長の四男・長宗から出たとされ、道長から六代の右馬之助《うまのすけ》信生《のぶなり》が初めて三井を名乗った。それは近江に住居を持とうと土地を探していた時、三つの井戸を見つけ、その一つに金銀が詰まっていたことからつけた苗字だという。

三井氏は中世、武士となり、近江観音寺城の佐々木六角氏に仕えた。室町中期、六角氏の一子、高久が三井家の養子となり、四目《よつめ》結《ゆい》の家紋を用いたこともあるという。

だが織田信長との戦いで、六角氏は敗れて没落する。三井越後守高安は伊勢国に移り、その長男・高俊が商人になって、質と酒、味噌の商いをした。人々はこの店を「越後殿の酒屋」、また「越後殿」といったことで、越後屋が三井家の屋号になった。三井家の創立者はこの高俊の四男・高利で、京都、江戸、大坂に呉服商、両替商を創業したのだった。

初め三井家は暖簾に、武士の出身らしく、〝九城《くき》を抜く〟に通じる「釘抜」紋を用いた。そのため、江戸に進出した小間物、呉服を扱う店は「釘抜三井」といわれた。

ところが商売が繁盛する一方で、遊郭などで「釘抜」

紋を使う店が多くなったのを嫌った。そこで「井桁」に三井の「三」をはめ込んだ紋に変更すると、それ以降、井戸からカネが湧き出るように繁盛した。

越後屋呉服店は、現在のデパート「三越」の前身である。また十九世紀に活況を呈した両替店は、三井銀行へと発展した。

住友もまた「井桁」がマークである。祖の石右衛門友以《とももち》（住友家の婿養子）の出身が泉州堺だったことから、大坂に銅の精錬、銅貿易を業とする店を開き、屋号を「泉屋」とした。だから、商標が「井桁」になったのだ。住友の場合もやはり、泉のありかを示す井桁が、カネを呼ぶ福紋となったのだった。

繁華街を歩くと、今でも家紋が意外に目につく。蕎麦屋、和菓子屋などの暖簾に、「桔梗」「梅鉢」「沢瀉」といった、花を主体にした家紋が付いている。「桐」「竹」といった家紋を商標としているホテルなど、家紋が祥福のシンボルとして掲げられている。商品にも、商標が家紋を連想させるものが少なくない。

キッコーマン醤油は登録商標の第一号として名高い。その商標は「二重亀甲の中に萬の字」である。これは千葉県の香取神宮の山である亀甲山からとったもの。「亀は萬年」の「萬」の字をそこに置く。永遠に変わらない社運の隆盛、という思いが込められているのだ。

日本石油は「蝙蝠」を用いる。明治二十二年（一八八九）一月、新潟県長岡で会社設立の発会式が行なわれた。そのパーティーの最中、一羽の蝙蝠が会場に飛び込んできたのだ。中国では桃と並び、蝙蝠は慶事・幸運の印であった。社章はまだ決まっていなかった。社長は即座に、蝙蝠を社章にしようと提案し、全員が拍手でこれを歓迎したのである。

長崎カステラの老舗に福砂屋《ふくさや》がある。創業が寛永元年（一六二四）と、非常に古い。

この店の商標も「蝙蝠」である。長崎に飢饉《ききん》が起きた時、米を寄進したことで、寺から「蝙蝠」紋をもらったためと聞く。長崎県の大村に工場を造った際、蝙蝠が飛び込んできて、皆を感激させたことがあったという。

三菱系企業の「スリーダイヤ」は何を表わすのか

三菱の社員の胸に光るスリーダイヤのバッジは、家紋から生まれた企業のシンボルマークである。創業者の岩崎弥太郎は、土佐の山内家に仕える下級武士で、坂本竜馬が作った「海援隊」に身を置いたこともある。岩崎家の先祖は甲斐の出身で、祖は小笠原氏とされ、家紋は「三階菱」だった（一〇四ページを参照）。

弥太郎は会社を興した時、社名を考えあぐねた末に、家紋の「三階菱」から「階」を抜いた「三菱」を思いつく。さらに彼は商売には「人の和」が大切だとして、その精神を社章に盛り込みたいと考えた。

そこで浮かんだのが、主君の山内家の定紋、「三つ柏」である。それと同じ形に「三階菱」の菱紋を置くと、ちょうど「人」という形になることに気づく。こうして「三階菱」の家紋から、「三つ柏」に似せて、人形《ひとがた》となるスリーダイヤの印が生まれたのである。

ＪＡＬ（日本航空）のシンボルマークは長く「鶴丸」紋だった。戦後まもなく、ＪＡＬがフランスの有名デザイナーに社章を頼んだところ、彼は「日本には家紋という素晴らしいデザインがありますね」と言って、家紋帳から選んだ「鶴丸」を用い、ＪＡＬの社章を作ったのだった。だが、そのマークが翼から消えたことは、まことに残念である。

その一方で、新しい時代を背負って復活してくる家紋もある。二〇〇六年のサッカー・ワールドカップのドイツ大会で、日本代表チームの選手たちの胸に躍っていた「三本足の烏」である。

三本足の烏は、古代中国では太陽を象徴した。そしてこの紋は、和歌山県新宮市に鎮座する熊野本宮大社の神紋である（一二八ページを参照）。『日本書紀』や『古事記』の神話世界では八咫烏《やたがらす》と呼ばれる。

神武天皇が大和を攻める際、紀伊半島南端の熊野から上陸した。この時、天照大神が遣わした八咫烏が、神武軍を先導したといわれる。

「三本足の烏」は太陽、つまり溢れんばかりのエネルギー、強靭さを象徴する。サッカーにまことにふさわしいと言えよう。

〈主な参考・引用文献〉

『日本紋章学』（沼田頼輔著、新人物往来社）
『紋章叢話』（沼田頼輔著、明治書院）
『日本の家紋』（荻野三七彦監修、新人物往来社）
『家紋』（丹羽基二著、秋田書店）
『神紋』（丹羽基二著、秋田書店）
『寺紋』（丹羽基二著、秋田書店）
『家紋大図鑑』（丹羽基二著、秋田書店）
『地名と苗字の謎』（丹羽基二著、幻冬舎）
『家紋逸話事典』（丹羽基二著、立風書房）
『家紋百話／上巻、下巻』（丹羽基二著、河出書房新社）
『家紋のはなし／Ⅰ、Ⅱ』（丹羽基二著、芳文館）
『姓氏の由来ものしり事典』（丹羽基二著、ベネッセコーポレーション）
『家紋でたどるあなたの家系』（千鹿野茂編、続群書類従完成会）
『新訂寛政重修諸家譜　家紋』（千鹿野茂編、続群書類従完成会）
『武家の家紋と旗印』（高橋賢一著、秋田書店）
『大名家の家紋』（高橋賢一著、秋田書店）
『家紋・旗本八万騎』（高橋賢一著、秋田書店）
『日本の紋章』（渡辺三男著、毎日新聞社）
『ヨーロッパの紋章・日本の紋章』（森護著、ＮＨＫブックス）
『おんな紋・血縁のフォークロア』（近藤雅樹著、河出書房新社）
『日本人の心がみえる家紋』（楠戸義昭著、毎日新聞社）
『旧暦スローライフ歳時記』（吉岡安之著、幻冬舎）
『中国占命法』（福中宏允著、いんなあとりっぷ社）
「歴史読本」昭和49年12月臨時増刊『日本紋章総覧』（新人物往来社）
「歴史と旅」昭和62年11月臨時増刊『日本家紋総覧』、昭和53年5月別冊『日本の家紋』（秋田書店）
『図説百科／日本紋章大図鑑』（百年社）
『文様』（「日本の美術」29号、至文堂）

＊

『日本書紀』（井上光貞監訳、中央公論社）
『古事記』『万葉集』『枕草子』『平家物語』『太平記』（「新潮日本古典集成」、新潮社）
『続日本紀』『続日本後紀』『日本紀略』『延喜式』（「新訂増補國史大系」、吉川弘文館）
『源平盛衰記』（有朋堂書店）
『全訳吾妻鏡』（永原慶二監修、新人物往来社）
『見聞諸家紋』（群書類従・続群書類従完成会）
『古事類苑』（吉川弘文館）
『徳川実紀』（「國史大系」、吉川弘文館）
『翁草』（「日本随筆大成」、吉川弘文館）

『絵本太閤記』（有朋堂書店）
『改正三河後風土記』（桑田忠親監修、秋田書店）
『武功夜話 前野家文書』（吉田蒼生雄訳注、新人物往来社）
『昭和新修華族家系大成』（霞会館）
『平治物語絵詞』『蒙古襲来絵詞』『信貴山縁起』（「日本の絵巻」、中央公論社）
『長篠合戦図』『賤ヶ岳合戦図』『関ヶ原合戦図』（「戦国合戦絵屏風集成」、中央公論社）

*

『安倍晴明公』（晴明神社編、講談社）
『千葉常胤』（福田豊彦著、吉川弘文館）
『赤松円心・満祐』（高坂好著、吉川弘文館）
『山名宗全と細川勝元』（小川信著、新人物往来社）
『大友宗麟』（外山幹夫著、吉川弘文館）
『黒田如水』（安藤英男著、鈴木出版）
『竜造寺隆信』（川副博著、新人物往来社）
『長宗我部元親』（山本大著、吉川弘文館）
『山内一豊』（山本大著、新人物往来社）
『紀州雑賀衆鈴木一族』（鈴木真哉著、新人物往来社）
『図説武田信玄』（信玄公宝物館編、河出書房新社）
『武田信玄大事典』（柴辻俊六編、新人物往来社）
『史都平戸』（松浦史料博物館）
『根獅子の小麦様』（吉島孝夫、文化ひらん第10号）
『近世日本国民史 徳川家康』（徳富蘇峰著、講談社学術文庫）
『烈士鳥居強右衛門とその子孫』（愛知県鳳来町立長篠城趾史跡保存館）
『大岡越前守』（沼田頼輔著、明治書院）
『高崎の散歩道』（高崎観光協会編、高崎観光協会）
『松江乃へるん』（小泉八雲記念館）
『蛇』（吉野裕子著、法政大学出版局）
『櫻史』（山田孝雄著、講談社学術文庫）
『仏像をたずねて』（南日義妙編、文進堂）
『武器と防具 中国編』（篠田耕一著、新紀元社）
『有職故実図典』（鈴木敬三著、吉川弘文館）
『万葉植物事典』（山田卓三・中嶋信太郎著、北隆館）
『国史大辞典』（吉川弘文館）
『朝日日本歴史人物事典』（朝日新聞社編、朝日新聞社）
『世界大百科事典』（平凡社）
『広辞苑』（新村出編、岩波書店）

……ほか

■家紋の索引（五十音順）

〔あ行〕

葵（あおい）……23、50、52、62、86、87、103
赤鳥（あかとり）……86、144
葦（あし）……210
安倍晴明判（あべのせいめいばん）……158
網（あみ）……127
庵（いおり）……31
碇（いかり）……25、104
井桁（いげた）……49、87、101、221
石畳（いしだたみ）……32
虎杖（いたどり）……199
一文字（いちもんじ）……25、52、87
銀杏（いちょう）……52、57、59、178
井筒（いづつ）……101
糸巻（いとまき）……46
稲妻（いなずま）……118
稲（いね）……116
兎（うさぎ）……166
団扇（うちわ）……29
馬（うま）……108
馬櫛（うまぐし）……144
梅（うめ）……135
梅鉢（うめばち）……61、86、135、221
鱗（うろこ）……44、86、162
永楽銭（えいらくせん）……24、165
海老（えび）……44、188
烏帽子（えぼし）……25、52、116
鴛鴦（えんおう）……79
扇（おうぎ）……53、81、165
扇骨（おうぎぼね）……29
車前草（おおばこ）……212
荻（おぎ）……210
折敷（おしき）……100、126
鴛鴦湾（おしのまる）……25
沢瀉（おもだか）……43、86、114、155、221

〔か行〕

櫂(かい)……104
楓(かえで)……198
鏡(かがみ)……130
柿(かき)……176
杜若(かきつばた)……184
額(がく)……130
鉸具(かこ)……109
籠目(かごめ)……146、160
笠(かさ)……108
傘(かさ)……28
梶(かじ)……137
楫(かじ)……104
柏(かしわ)……25、48、49、52、57、87、113、139、222
霞(かすみ)……97
酢漿草(かたばみ)……50、57、87、211
堅魚木(かつおぎ)……132
鹿角(かづの)……185
羯磨(かつま)……143
蟹(かに)……44、110
曲尺(かねじゃく)……118
蕪(かぶ)……179
鎌(かま)……25、52、121
亀(かめ)……186、190
烏(からす)……116、128、222
柰(からなし)……203
唐花(からばな)……24、40、77
雁(かり)……36、48、49、86、89
鐶(かん)……78
祇園守(ぎおんまもり)……140
桔梗(ききょう)……31、46、58、66、86、114、196、221
菊(きく)……27、72、76、135
菊水(きくすい)……71
亀甲(きっこう)……49、146、187、190、221
杵(きね)……162
杏葉(ぎょうよう)……49、87、202
桐(きり)……24、25、39、52、57、58、59、69、86、123、221
釘抜(くぎぬき)……44、86、166、220
九字(くじ)……25、159
葛(くず)……207

轡（くつわ）……109
九曜（くよう）……25、52、61、87、161
栗（くり）……156
久留子（くるす）……87、141
車（くるま）……35
鍬形（くわがた）……105
軍配団扇（ぐんぱいうちわ）……29、92
懸魚（げぎょ）……144、196
剣（けん）……107
源氏香図（げんじこうず）……88
鯉（こい）……44
河骨（こうほね）……199
蝙蝠（こうもり）……184、221
五行（ごぎょう）……179
五徳（ごとく）……130
琴柱（ことじ）……72
独楽（こま）……126

〔さ行〕

鷺（さぎ）……168
桜（さくら）……147、197
栄螺（さざえ）……44、110
算木（さんぎ）……134、171
地紙（じがみ）……29
獅子頭（ししがしら）……64
獅子に牡丹（ししにぼたん）……201
歯朶（しだ）……181
七曜（しちよう）……25、175
日月（じつげつ）……66
七宝（しっぽう）……145
錫杖（しゃくじょう）……52、143
蛇の目（じゃのめ）……25、47、61、86、163、196
十字（じゅうじ）……36、52、87、172
棕櫚（しゅろ）……86、213
杉（すぎ）……136
筋違い（すじかい）……86、98
鈴（すず）……138
薄（すすき）……208
雀（すずめ）……49
洲浜（すはま）……116、176
芹（せり）……179

〔た行〕

大一大万大吉(だいいちだいまんだいきち)……25、52、87、218
太一(たいいつ)……146
太極図(たいきょくず)……132
大根(だいこん)……153
鷹(たか)……48、49、88
竹(たけ)……25、39、52、86、123、200、221
橘(たちばな)……81、83、87、189
団子(だんご)……97
短冊(たんざく)……73
蒲公英(たんぽぽ)……180
知恵の輪(ちえのわ)……126
千木(ちぎ)……132
籐(ちきり)……154
千鳥(ちどり)……193
茶の実(ちゃのみ)……202
蝶(ちょう)……24、49、57、58、74、86、87
丁子(ちょうじ)……214
打板(ちょうはん)……151
月(つき)……117
月星(つきほし)……174
蔦(つた)……52、58、60、87、205
槌(つち)……167
鼓(つづみ)……46
椿(つばき)……182
鶴(つる)……31、36、49、86、182、190、222
鉄線(てっせん)……204
田字草(でんじそう)……211
巴(ともえ)……25、49、86、122
鳥居(とりい)……131
蜻蛉(とんぼ)……43、157

〔な行〕

梛(なぎ)……129
梨花(なしばな)……80
薺(なずな)……25、179
撫子(なでしこ)……86、192
波(なみ)……25、52、86、98
南天(なんてん)……152、171

熨斗（のし）……170

〔は行〕

萩（はぎ）……209
葉菊草（はぎくそう）……140
梯子（はしご）……167
八卦（はっか）……129、171
鳩（はと）……37、73
花筏（はないかだ）……87、195
蛤（はまぐり）……44、194
日足（ひあし）……101
柊（ひいらぎ）……48、150、171
引両（ひきりょう）……24、25、37、52、86
菱（ひし）……25、54、66、86、96、222
日の丸（ひのまる）……99
瓢箪（ひょうたん）……215
枇杷（びわ）……139
藤（ふじ）……25、48、75、87、116
浮線菊（ふせんぎく）……53
浮線綾（ふせんりょう）……56
弜（ふつ）……52、218
筆（ふで）……73
葡萄（ぶどう）……206
船（ふね）……25、103
分銅（ふんどう）……118
幣（へい）……131
瓶子（へいじ）……138
帆（ほ）……103
鳳凰（ほうおう）……39、123、192
宝珠（ほうじゅ）……133
牡丹（ぼたん）……25、52、76、86、124
法螺（ほら）……151

〔ま行〕

鉞（まさかり）……112
枡（ます）……65、169
籬架菊（ませぎく）……196
松（まつ）……177
鞠挟み（まりはさみ）……72
卍（まんじ）……25、52、54、86、172、218

澪標(みおつくし)……105
瑞垣(みずがき)……133
三星(みつぼし)……91
茗荷(みょうが)……154
百足(むかで)……93
村濃(むらご)……34
目結(めゆい)……61、75
文字(もじ)……31、216
餅(もち)……25、49、52、61、168
木瓜(もっこう)……24、31、35、77、86、87、95
桃(もも)……151、171

〔や行〕

山(やま)……64、94、218
山吹(やまぶき)……82
結綿(ゆいわた)……152
夕顔(ゆうがお)……203
雪(ゆき)……119
弓矢(ゆみや)……90

〔ら行〕

欄干(らんかん)……134
竜(りゅう)……120
輪鼓(りゅうご)……46
竜胆(りんどう)……72
輪宝(りんぽう)……142
連翹(れんぎょう)……74
六文銭(ろくもんせん)……106
六曜(ろくよう)……175

〔わ行〕

輪(わ)……156
輪違い(わちがい)……79、87
輪貫(わぬき)……156
蕨(わらび)……180
吾亦紅(われもこう)……111

楠戸義昭（くすど　よしあき）

1940年、和歌山県に生まれる。立教大学社会学部を卒業。毎日新聞社編集委員を経て、現在、歴史作家。著書に『日本人の心がみえる家紋』『もうひとりの蝶々夫人—長崎グラバー邸の女主人ツル』（以上いずれも毎日新聞社）、『山内一豊の妻』（新人物往来社）、『城と女たち／上・下』（講談社）、『秀吉を拒んだ女たち』（角川書店）、『豊臣秀吉99の謎』『戦国武将名言録』（以上いずれもPHP研究所）、『日本の城 恐怖伝説』『車窓から歴史が見える—東海道新幹線』（以上いずれも祥伝社）など多数がある。

装丁　亀海昌次
本文デザイン　小山弘子
編集協力　（株）元気工房
編集　福島広司　鈴木恵美（幻冬舎）

知識ゼロからの「日本の家紋」入門

2006年8月10日　第1刷発行

著　者　楠戸義昭
発行者　見城　徹

発行所　株式会社 幻冬舎
〒151-0051　東京都渋谷区千駄ヶ谷4-9-7
電話　03-5411-6211（編集）　03-5411-6222（営業）
振替　00120-8-767643
印刷・製本所　株式会社 光邦

検印廃止

ISBN4-344-90087-1 C2076
Printed in Japan
幻冬舎ホームページアドレス　http://www.gentosha.co.jp/
この本に関するご意見・ご感想をメールでお寄せいただく場合は、comment@gentosha.co.jpまで。